а АКТЕРСКАЯ КНИГА

ФАИНА РАНЕВСКАЯ

СТАРОСТЬ-НЕВЕЖЕСТВО БОГА

аст зебра е москва

УДК 792.2.071(092)
ББК 85.334.3(2)6-8
Р22

Художественное оформление:
Александр Щукин

Составители:
Алексей Лисицын, Гелена Слабко, Юрий Крылов

Раневская, Фаина Георгиевна

Р22   Старость — невежество Бога / Фаина Раневская. — М.: АСT: Зебра Е, 2011. —192 с.: 24 л. ил. — (Актерская книга).

ISBN 978-5-17-067937-9 (ООО «Изд-во АСT»)
ISBN 978-5-94663-044-3 (ООО «Изд-во Зебра Е»)

...Все, кто меня любил, не нравились мне. А кого я любила — не любили меня. Кто бы знал мое одиночество... Будь он проклят, этот самый талант сделавший меня несчастной. Моя внешность испортила мне личную жизнь.

...Одиноко. Смертная тоска. Мне восемьдесят один год. Сижу в Москве. Лето. Не могу бросить псину. Сняли мне домик за городом и с сортиром. В мои годы может быть один любовник — домашний клозет.

...Старость — это просто свинство. Я считаю, что это невежество Бога, когда он позволяет доживать до старости. Господи, уже все ушли, а я до сих пор живу...

Я НЕ УМЕЮ ВЫРАЖАТЬ
СИЛЬНЫХ ЧУВСТВ,
ХОТЯ МОГУ
СИЛЬНО ВЫРАЖАТЬСЯ

Так, конечно, могла сказать только Фаина Георгиевна Раневская. Ее забавные словечки, смешные реплики, острые характеристики людей передавались из уст в уста.

Удивительна была ее популярность. Припоминаю, как мы однажды стояли с ней возле дома отдыха «Серебряный Бор», где как-то одновременно отдыхали. И откуда-то маршировала группа солдат. Проходя мимо нас, они приветственно замахали руками. Я вообразил, не скрою, что это относится ко мне, и собрался порадоваться своей известности. Но со стороны солдат дружно раздалось: «Муля, не нервируй меня!» Фаина Георгиевна устало помахала им рукой и сказала мне:

— Боже, как мне надоело это «Муля, не нервируй меня!».

Эта реплика из фильма «Подкидыш» стала настолько крылатой, что преследовала Раневскую на каждом шагу. Слышал от нее самой: как-то ее на улице окружила группа ребят с криками: «Муля, не нервируй меня!» Выйдя из себя, Раневская им скомандовала: «Пионеры! Стройтесь попарно и идите в задницу!» Любопытно, что сама Раневская считала эту роль из «Подкидыша» одной из самых незначительных, а после неожиданной популярности буквально ее возненавидела. И можно себе представить ее злость, когда, вручая ей орден за творческую деятельность, Леонид Брежнев, как она мне рассказывала, произнес осточертевшее ей: «Муля...» и т. д.

Поразителен сценический диапазон Раневской — от поистине трагических ролей, таких как в спектаклях «Странная миссис Сэвидж» или «Дальше — тишина», трогавших зрителей буквально до слез, до комических образов, таких как Спекулянтка в «Шторме» или мать невесты в чеховской «Свадьбе», вызывавших гомерический смех. Надо сказать, что нелегко давались Раневской эти сложнейшие психологические перевоплощения. Помню, как-то после спектакля «Дальше — тишина» мы с женой и внуком Витей зашли за кулисы с цветами для Фаины Георгиевны. Я захватил с собой и незадолго до того вышедшую книгу своих воспоминаний.

— Спасибо вам, Фаиночка, огромное. Вы играли потрясающе.

— А вы думаете, это легко дается? — спросила Раневская и вдруг заплакала. — Ах, как я устала... От всего, от всех и от себя тоже.

Я растерянно смотрел на нее и, меняя тему разговора, сказал:

— А это, Фаиночка, наш внук, Витя. А есть еще внук поменьше, Андрюша, которого мы называем Поросюкевич.

Фаина Георгиевна улыбнулась сквозь слезы.

— Поросюкевич? Это очаровательно. А почему?

— А он с рождения был толстенький, как поросенок.

С тех пор, где и когда бы мы ни встречались, Раневская неизменно спрашивала:

— А как поживает ваш очаровательный Собакевич?

— Не Собакевич, а Поросюкевич, — обиженно поправлял я.

— Да, да. Простите, дорогой. Конечно, Поросюкевич.

Но при следующей встрече все повторялось:

— Как поживает, Борис Ефимович, ваш очаровательный Собакевич? — спрашивала Раневская, лукаво улыбаясь.

— Фаиночка!!! — вопил я. — Не Собакевич, а Поросюкевич!

Мы оба хохотали. И это стало своего рода традицией при наших встречах. Прочитав подаренную мною книгу, Раневская прислала мне следующее письмо:

«Милый, милый, дорогой, дорогой Борис Ефимович. Вы не представляете, какое глубокое волнение вызвала во мне ваша книга. Читала ее с интересом особым, п. ч. она очень интересна, очень талантлива. Спасибо за чудесный подарок мне и всем нам. Ваша книга очень нужна, и над многими строчками я горестно плакала... Я не умею выражать сильных чувств, хотя могу сильно выражаться. Вижу, что мне не удается сказать вам в этой записке всего, что хотела. Боюсь лишних слов. Но поверьте, что взволнована я глубоко и полюбила вас еще больше и нежнее. Крепко, крепко обнимаю. Душевно ваша Ф. Раневская.

P. S. Подарите мне и другие ваши книги».

Раневская находилась в дружбе с Татьяной Тэсс, хотя трудно себе представить более разные характеры — экспансивная, эмоциональная, не слишком воздержанная на язык Фаина и сугубо практичная, деловитая, скуповатая Татьяна.

Помню, мы с Татьяной Тэсс были на премьере спектакля «Странная миссис Сэвидж». Как всегда, игра Раневской произвела огромное впечатление, и мы на другой день послали ей общую телеграмму, высказывая свое восхищение. Вскоре я получил от Раневской ответную телеграмму с трогательными словами благодарности. Мы жили с Татьяной Тэсс в соседних подъездах, и, встретив ее на следующий день во дворе, я спросил:

— Таня, вы получили телеграмму от Раневской?

— Никакой телеграммы я не получала, видно, начхала она на меня. Наверно, за что-то надулась. За что — не пойму.

Через пару дней мы сидели с Раневской рядом в Доме кино на просмотре итальянского фильма со знаменитой Клаудией Кардинале.

— Фаиночка, — спросил я, — что у вас произошло с Таней Тэсс? Она обижена, что вы ответили на нашу общую телеграмму только мне.

— А пошла она в ж... Посудите сами, Боря. Мне надо было срочно перекрутиться с деньгами. Вы знаете, что Танечка достаточно состоятельная дама. И я попросила ее выручить меня на пару дней. И вы знаете, как элегантно она мне ответила? «Фаиночка, вам будет трудно их вернуть». Какая изобретательная форма отказа... По-моему, это большое свинство. Да бог с ней. Скажите лучше, как поживает ваш очаровательный Собакевич.

Когда мы выходили из зала после просмотра картины, сюжетом которой была довольно мутная история о кровосмесительной связи между братом и сестрой, кто-то спросил:

— Какое у вас впечатление, Фаина Георгиевна?

На что последовал ответ, целиком в духе Раневской:

— Впечатление, как будто наелась кошачьего дерьма.

Надо сказать, что подобные выражения и еще более сочные в устах Раневской воспринимались отнюдь не как неприличная брань, а как абсолютно органично присущая ей манера разговора, ни для кого не оскорбительная, а только забавная. Ведь это была — Фаина Раневская! Но умела она шутить и обходясь без всяких «непечатных» словечек, а с простодушным веселым озорством. Я был свидетелем, когда к ней домой позвонила одна надоедливая дама, завела с ней длинный, скучный разговор. Раневская некоторое время терпеливо слушала, а потом прервала ее:

— Ой, простите, голубушка. Я разговариваю с вами из автомата, а тут уже большая очередь, стучат мне в дверь.

Она положила трубку и весело рассмеялась. И это тоже была — Фаина Раневская!

В день своего восьмидесятилетия я получил от Фаины Георгиевны такое письмо:

«Мой дорогой, очень любимый человек, очень любимый художник, мой друг, позвольте Вас так назвать. В день Вашего рождения мне так хотелось Вам сказать о моей любви, пожелать Вам только хорошего и много хорошего, но я не знала адреса, а сейчас меня навестила Таня Тэсс и дала мне слово, что мою любовь опустит в Ваш почтовый ящик. Обнимаю крепко, нежно!!! Ваша Раневская — небезызвестная артистка!»

Фаина Георгиевна Раневская ушла из жизни в 1984 году. Обидно и горько, что эта уникальная актриса была так мало востребована в театре и в кино в достойных ее ролях. В этом непростительно повинны близорукость и недоброжелательство, и не в последнюю очередь интриганство тех, кто в ту пору делал погоду в искусстве.

Борис Ефимов

ВСЕГДА ЗАВИДОВАЛА ТАЛАНТУ: НАЧАЛОСЬ ЭТО С ДЕТСТВА

Наверное, скоро умру. Мне видится детство все чаще и чаще. Разные события всплывают из недр памяти и волнуют до сердцебиения. Я вижу двор, узкий и длинный, мощенный булыжниками. Во дворе сидит на цепи лохматая собака с густой свалявшейся шерстью, в которой застрял мусор и даже гвозди, — по прозвищу Букет. Букет всегда плачет и гремит цепью. Я люблю его. Я обнимаю его за голову, вижу его добрые, умные глаза, прижимаюсь лицом к морде, шепчу слова любви. От Букета плохо пахнет, но мне это не мешает. В черном небе — белые звезды, от них светло. И мне видно из окна, как со двора волокут нашу лошадь. Кучер говорит, что лошадь подохла от старости и что тащат ее на живодерню. Я не знаю, что такое живодерня. Мне пять лет.

В пять лет была тщеславна, мечтала получить медаль за спасение утопающих... У дворника на пиджаке медаль, мне очень она нравится, я хочу такую же, но медаль дают за храбрость — объясняет дворник. Мечтаю совершить поступок, достойный медали. В нашем городе очень любили старика, доброго, веселого, толстого грузина-полицмейстера. Дни и ночи мечтала, чтобы полицмейстер, плавая в море, стал тонуть и чтобы я его вытащила, не дала ему утонуть и за это мне дали медаль, как у нашего дворника. Теперь медали, ордена держу в коробке, где нацарапала: «Похоронные принадлежности».

———————

Актрисой себя почувствовала в пятилетнем возрасте. Умер маленький братик, я жалела его, день плакала. И все-таки отодвинула занавеску на зеркале — посмотреть, какая я в слезах. Несчастной я стала в шесть лет. Гувернантка повела меня в приезжий «зверинец». В маленькой комнате сидела худая лисица с человечьими глазами. Рядом на столе стояло корыто, в нем плавали два крошечных дельфина. Вошли пьяные, шумные оборванцы и стали тыкать в дельфиний глаз, из которого брызнула кровь. Сейчас мне 76 лет. Все 70 лет я этим мучаюсь.

———————

Говорят, любовь приходит с молоком матери. У меня пришла со «слезами матери». Мне четко видится мать, обычно тихая, сдержанная, — она громко плачет. Я бегу к ней в комнату, она уронила голову на подушку, плачет, плачет, она в страшном горе. Я пугаюсь и тоже плачу.

На коленях матери — газета: «...вчера в Баденвейлере скончался А.П. Чехов». В газете — фотография человека с добрым лицом. Бегу искать книгу Чехова. Нахожу, начинаю читать. Мне попалась «Скучная история». Я схватила книгу, побежала в сад, прочитала всю. Закрыла книжку. И на этом закончилось мое детство. Я поняла все об одиночестве человека.

Это отравило мое детство. Прошло несколько лет, и я опять услыхала страшный крик матери, она кричала: «Как же теперь жить? Его уже нет. Все кончилось, все ушло, ушла совесть...» Она убивалась, слегла, долго болела. Любовь к Толстому во мне и моя, и моей матери. Любовь и мучительная жалость и к нему, и к С. А. Только ее жаль иначе как-то. К ней нет ненависти. А вот к Н.Н. Пушкиной... ненавижу ее люто, неистово. Загадка для меня, как мог он полюбить так дуру набитую, куколку, пустяк...

————

Учительница подарила медальон, на нем было написано: «Лень — мать всех пороков». С гордостью носила медальон. Ненавидела гувернантку, ненавидела бонну-немку. Ночью молила Бога, чтобы бонна, катаясь на коньках, упала и расшибла голову, а потом умерла. Любила читать, читала запоем, над книгой, где кого-то обижали, плакала навзрыд, — тогда отнимали книгу и меня ставили в угол. Училась плохо, арифметика была страшной пыткой. Писать без ошибок так и не научилась. Считать тоже. Наверное, в городе, где я родилась, было множество меломанов. Знакомые мне присяжные поверенные собирались друг у друга, чтобы играть квартеты великих классиков. Однажды в специальный концертный зал пригласили Скрябина. У рояля стояла большая лира цветов. Скрябин, выйдя, улыбнулся цветам. Лицо его было обычным, заурядным, пока он не стал играть. И тогда я услыхала и увидела перед собой гения. Наверное, его концерт втянул, втолкнул мою душу в музыку. И стала она страстью моей долгой жизни.

Всегда завидовала таланту: началось это с детства. Приходил в гости к старшей сестре гимназист — читал ей стихи, флиртовал, читал наизусть. Чтение повергало меня в трепет. Гимназист вращал глазами, взвизгивал, рычал тигром, топал ногами, рвал на себе волосы, ломая руки. Стихи назывались «Белое покрывало». Кончалось чтение словами: «...так могла солгать лишь мать». Гимназист зарыдал, я была в экстазе. Подруга сестры читала стихи: «Увидев почерк мой, Вы, верно, удивитесь, я не писала Вам давно и думаю, Вам это все равно». Подруга сестры тоже и рыдала, и хохотала. И опять мой восторг, и зависть, и горе, почему у меня ничего не выходило, когда я пыталась им подражать. Значит, я не могу стать актрисой? Теперь, к концу моей жизни, я не выношу актеров-«игральщиков». Не выношу органически, до физического отвращения — меня тошнит от партнера, «играющего роль», а не живущего тем, что ему надлежит делать в силу обстоятельств. Сейчас мучаюсь от партнера, который «представляет» всегда одинаково, как запись на пластинке. Если актер импровизирует — ремесло, мерзкое ремесло!

———

Я стою в детской на подоконнике и смотрю в окно дома напротив. Нас разделяет узкая улица, и потому мне хорошо видно все, что там происходит. Там танцуют, смеются, визжат. Это бал в офицерском собрании. Мне семь лет, я не знаю слов «пошлость» и «мещанство», но мне очень не нравится все, что вижу на втором этаже в окне дома напротив. Я не буду, когда вырасту, взвизгивать, обмахиваться носовым платком или веером, так хохотать и гримасничать!.. Там чужие, они мне не нравятся, но я смотрю на них с интересом. Потом офицеры и их дамы уехали, и в доме напротив поселилась учительница географии — толстая важная старуха, у которой я училась, поступив в гимназию. Она ставила мне двойки и выгоняла из класса, презирая меня за невежество в области географии. В ее окно я не смотрела, там не было ничего интересного. Через много лет, став актрисой, я получила роль акушерки Змеюкиной в чеховской «Свадьбе». Мне очень помогли мои детские впечатления-воспоминания об офицерских балах. Помогли наблюдательность, стремление увидеть в человеке характерное: смешное или жалкое, доброе или злое... Играть, представлять кого-либо из людей, мне знакомых, я стала лет с пяти и часто бывала наказана за эти показы...

В театре в нашем городке гастролировали и прославленные артисты. И теперь еще я слышу голос и вижу глаза Павла Самойлова в «Привидениях» Ибсена: «Мама, дай мне солнца...» Помню, я рыдала... Театр был небольшой, любовно построенный с помощью меценатов города. Первое впечатление от оперы было страшным. Я холодела от ужаса, когда кого-нибудь убивали и при этом пели. Я громко кричала и требовала, чтобы меня увезли в оперу, где не поют. Кажется, напугавшее меня зрелище называлось «Аскольдова могила». А когда убиенные выходили раскланиваться и при этом улыбались, я чувствовала себя обманутой и еще больше возненавидела оперу.

———

Впервые в кино. Обомлела. Фильм был в красках (вероятно, раскрашенный вручную, как позднее флаг в «Броненосце «Потемкине»), возможно, «Ромео и Джульетта». Мне лет 12. Я в экстазе, хорошо помню мое волнение. Схватила копилку в виде большой свиньи, набитую мелкими деньгами (плата за рыбий жир). Свинью разбиваю. Я в неистовстве — мне надо совершить что-то большое, необычное. По полу запрыгали монеты, которые я отдала соседским детям: «Берите, берите, мне ничего не нужно...» И сейчас мне тоже ничего не нужно — мне 80. Даже духи из Парижа, мне их прислали, — подарки друзей. Теперь перебираю в уме, кому бы их подарить… Экстазов давно не испытываю. Жизнь кончена, а я так и не узнала, что к чему.

————————

Ребенка с первого класса школы надо учить науке одиночества.

У МЕНЯ ХВАТИЛО
УМА ГЛУПО ПРОЖИТЬ
ЖИЗНЬ

Я социальная психопатка. Комсомолка с веслом.

Вы меня можете пощупать в метро. Это я там стою, полусклонясь, в купальной шапочке и медных трусиках, в которые все октябрята стремятся залезть. Я работаю в метро скульптурой. Меня отполировало такое количество лап, что даже великая проститутка Нана могла бы мне позавидовать.

Ахматова мне говорила: «Вы великая актриса». Ну да, я великая артистка, и поэтому я ничего не играю, меня надо сдать в музей. Я не великая артистка, а великая жопа.

Жить надо так, чтобы тебя помнили и сволочи.

Жизнь бьет ключом по голове!

Эпикур говорил — хорошо прожил тот, кто хорошо спрятался.

«Писать мемуары — все равно что показывать свои вставные зубы», — говорил Гейне. Я скорее дам себя распять, чем напишу книгу «Сама о себе». Не раз начинала вести дневник, но всегда уничтожала написанное. Как можно выставлять себя напоказ? Это нескромно и, по-моему, отвратительно.

———

Пристают, просят писать, писать о себе. Отказываю. Писать о себе плохо — не хочется. Хорошо — неприлично. Значит, надо молчать. К тому же я опять стала делать ошибки, а это постыдно. Это как клоп на манишке. Я знаю самое главное, я знаю, что надо отдавать, а не хватать. Так доживаю с этой отдачей. Воспоминания — это богатство старости.

———

Если бы я, уступая просьбам, стала писать о себе, это была бы жалобная книга — «Судьба — шлюха».

———

Три года писала книгу воспоминаний, польстившись на аванс 2000 рублей с целью приобрести теплое пальто.

———

Меня попросили написать автобиографию. Я начала так: «Я — дочь небогатого нефтепромышленника...»

———

Книгу писала 3 года, прочитав, порвала. Книги должны писать писатели, мыслители или же сплетники.

———

Если бы я вела дневник, я бы каждый день записывала одну фразу: «Какая смертная тоска». И все. Я бы еще записала, что театр стал моей богадельней, а я еще могла бы что-то сделать.

———

Жизнь отнимает у меня столько времени, что писать о ней совсем некогда.

———

Жизнь моя... Прожила около, все не удавалось. Как рыжий у ковра.

———

Жизнь проходит и не кланяется, как сердитая соседка.

———

Всю свою жизнь я проплавала в унитазе стилем баттерфляй.

———

Ничего кроме отчаянья от невозможности что-либо изменить в моей судьбе.

———

Главное в том, чтоб себя сдерживать, — или я, или кто-то другой так решил, но это истина. С упоением била бы морды всем халтурщикам, а терплю. Терплю невежество, терплю вранье, терплю убогое существование полунищенки, терплю и буду терпеть до конца дней.

———

У меня хватило ума глупо прожить жизнь. Живу только собою — какое самоограничение.

———

День кончился. Еще один напрасно прожитый день никому не нужной моей жизни.

———

Молодой человек! Я ведь помню порядочных людей... Боже, какая я старая!

———

Я как старая пальма на вокзале — никому не нужна, а выбросить жалко.

———

Не могу его есть (мясо): оно ходило, люби-
ло, смотрело... Может быть, я психопатка?

Про курицу, которую пришлось выбросить из-за того, что нерадивая домработница сварила ее со всеми внутренно-
стями, Фаина Георгиевна грустно сказала:
«Но ведь для чего-то она родилась!»

———

— Фаина Георгиевна, как ваши дела?
— Вы знаете, милочка, что такое говно?
Так вот оно по сравнению с моей жиз-
нью — повидло.

———

— Как ваша жизнь, Фаина Георгиевна?
— Я вам еще в прошлом году говорила, что
говно. Но тогда это был марципанчик.

———

Бог мой, как прошмыгнула жизнь. Я даже
никогда не слышала, как поют соловьи.

———

Жизнь — это небольшая прогулка перед вечным сном.

———

Жизнь — это затяжной прыжок из п... ды в могилу.

———

Страшно грустна моя жизнь. А вы хотите, чтобы я воткнула в жопу куст сирени и делала перед вами стриптиз.

———

Теперь, в старости, я поняла, что «играть» ничего не надо.

———

Отвратительные паспортные данные. Посмотрела в паспорт, увидела, в каком году я родилась, и только ахнула.

———————

Паспорт человека — это его несчастье, ибо человеку всегда должно быть восемнадцать лет, а паспорт лишь напоминает, что ты не можешь жить, как восемнадцатилетний человек!

———————

Старость — это просто свинство. Я считаю, что это невежество Бога, когда он позволяет доживать до старости. Господи, уже все ушли, а я все живу. Бирма — и та умерла, а уж от нее я этого никак не ожидала. Страшно, когда тебе внутри восемнадцать, когда восхищаешься прекрасной музыкой, стихами, живописью, а тебе уже пора, ты ничего не успела, а только начинаешь жить!

———————

Старая харя не стала моей трагедией — в 22 года я уже гримировалась старухой и привыкла и полюбила старух моих в ролях.

А недавно написала моей сверстнице: «Старухи, я любила вас, будьте бдительны!»

———————

Старухи бывают ехидны, а к концу жизни бывают и стервы, и сплетницы, и негодяйки... Старухи, по моим наблюдениям, часто не обладают искусством быть старыми. А к старости надо добреть с утра до вечера!

———————

Сегодня ночью думала о том, что самое страшное — это когда человек принадлежит не себе, а своему распаду.

———————

Мысли тянутся к началу жизни — значит, жизнь подходит к концу.

———————

Книппер-Чехова, дивная старуха, однажды сказала мне: «Я начала душиться только в старости».

Еду в Ленинград. На свидание. Накануне сходила в парикмахерскую. Посмотрелась в зеркало — все в порядке. Волнуюсь, как пройдет встреча. Настроение хорошее. И купе отличное, СВ, я одна. В дверь постучали.

— Да-да!

Проводница:

— Чай будете?

— Пожалуй... Принесите стаканчик, — улыбнулась я.

Проводница прикрыла дверь, и я слышу ее крик на весь коридор:

— Нюся, дай чай старухе!

Всё. И куда я, дура, собралась, на что надеялась?! Нельзя ли повернуть поезд обратно?..

В шестьдесят лет мне уже не казалось, что жизнь кончена, и когда седой как лунь театровед сказал: «Дай Бог каждой женщине вашего возраста выглядеть так, как вы», — спросила игриво:

— А сколько вы мне можете дать?

— Ну, не знаю, лет семьдесят, не больше.

От удивления я застыла с выпученными глазами и с тех пор никогда не кокетничаю возрастом.

———

В Театре им. Моссовета с огромным успехом шел спектакль «Дальше — тишина». Главную роль играла уже пожилая Раневская. Как-то после спектакля к ней подошел зритель и спросил:

— Простите за нескромный вопрос, а сколько вам лет?

— В субботу будет сто пятнадцать, — тут же ответила актриса.

Поклонник обмер от восторга и сказал:

— В такие годы и так играть!

———

Одиноко. Смертная тоска. Мне 81 год...

———

Ничто так не дает понять и ощутить своего одиночества, как когда некому рассказать сон.

———

Сижу в Москве, лето, не могу бросить псину. Сняли мне домик за городом и с сортиром. А в мои годы один может быть любовник — домашний клозет.

———

Когда Раневская получила новую квартиру, друзья перевезли ее немудрящее имущество, помогли расставить и разложить все по местам и собрались уходить. Вдруг она заголосила:

— Боже мой, где мои похоронные принадлежности?! Куда вы положили мои похоронные принадлежности? Не уходите же, я потом сама ни за что не найду, я же старая, они могут понадобиться в любую минуту!

Все стали искать эти «похоронные принадлежности», не совсем понимая, что, собственно, следует искать. И вдруг Раневская радостно возгласила:

— Слава богу, нашла!

И торжественно продемонстрировала всем коробочку со своими орденами и медалями.

———

В старости главное — чувство достоинства, а его меня лишили.

———

Старость — это когда беспокоят не плохие сны, а плохая действительность.

———

Стареть скучно, но это единственный способ жить долго.

———

Старость — это время, когда свечи на именинном пироге обходятся дороже самого пирога, а половина мочи идет на анализы.

———

Или я старею и глупею, или нынешняя молодежь ни на что не похожа! Раньше я просто не знала, как отвечать на их вопросы, а теперь даже не понимаю, о чем они спрашивают.

———

Как-то в присутствии Раневской начали ругать современную молодежь.

— Вы правы, — согласилась актриса, — сегодняшняя молодежь ужасна.

И после паузы добавила:

— Но еще хуже то, что мы не принадлежим к ней.

———

Я кончаю жизнь банально — стародевически: обожаю котенка и цветочки до страсти.

———

Сейчас долго смотрела фото — глаза собаки человечны удивительно. Люблю их, умны они и добры, но люди делают их злыми.

———

Читаю дневник Маклая, влюбилась и в Маклая, и в его дикарей.

Читаю Даррелла, у меня его душа, а ум курицы. Даррелл писатель изумительный, а его любовь к зверью делает его самым мне близким сегодня в злом мире.

— Моя собака живет лучше меня! — пошутила однажды Раневская. — Я наняла для нее домработницу. Так вот и получается, что она живет, как Сара Бернар, а я — как сенбернар...

Животных, которых мало, занесли в Красную книгу, а которых много — в «Книгу о вкусной и здоровой пище».

Мне иногда кажется, что я еще живу только потому, что очень хочу жить. За 53 года выработалась привычка жить на свете. Сердце работает вяло и все время делает попытки перестать мне служить, но я ему приказываю: «Бейся, окаянное, и не смей останавливаться».

_____

Сегодня встретила «первую любовь». Шамкает вставными челюстями, а какая это была прелесть. Мы оба стеснялись нашей старости.

_____

Сейчас, когда человек стесняется сказать, что ему не хочется умирать, он говорит так: «Очень хочется выжить, чтобы посмотреть, что будет потом». Как будто, если бы не это, он немедленно был бы готов лечь в гроб.

_____

А может быть, поехать в Прибалтику? А если там умру? Что я буду делать?

_____

Когда я умру, похороните меня и на памятнике напишите: «Умерла от отвращения».

Похороны — спектакль для любопытствующих обывателей.

НЕ ЛАЖУ С БЫТОМ...
К СЧАСТЬЮ, МНЕ ОЧЕНЬ
МАЛО НАДО

Фаина Георгиевна, как могла, всячески старалась преодолеть быт. Уборка, еда, одежда — все это было для нее тяжким испытанием.

———

Угнетает гадость в людях, в себе самой — люди бегают, носятся, скупают, закупают, магазины пусты — слух о денежной реформе, — замучилась долгами, нищетой, хожу как оборванка, «народная артистка». К счастью, мне очень мало надо.

———

Поняла, в чем мое несчастье: скорее поэт, доморощенный философ, «бытовая» дура — не лажу с бытом! Деньги мешают и когда их нет, и когда они есть. У всех есть «приятельницы», у меня их нет и не может быть. Вещи покупаю, чтобы их дарить. Одежду ношу старую, всегда неудачную. Урод я.

———

Мое богатство, очевидно, в том, что мне оно не нужно.

———

Оставшись в послереволюционной России, Раневская очень бедствовала и в какой-то трудный момент обратилась за помощью к одному из приятелей своего отца.

Тот ей сказал: «Сударыня, поймите меня правильно: дать дочери Фельдмана мало я не могу. А много — у меня уже нет...»

———

Третий час ночи... Знаю, не засну, буду думать, где достать деньги, чтобы отдохнуть во время отпуска мне, и не одной, а с П. Л. (Павлой Леонтьевной Вульф). Перерыла все бумаги, обшарила все карманы и не нашла ничего похожего на денежные знаки...

———

Раневской деньги нужны были главным образом для того, чтобы отдавать их другим. Она не просто любила делать подарки, она не могла без этого жить. Дарить — это было основное качество Фаины Георгиевны.

———

В Москве можно выйти на улицу одетой как бог даст, и никто не обратит внимания. В Одессе мои ситцевые платья вызывают повальное недоумение — это обсуждают в парикмахерских, зубных амбулаториях, трамвае, частных домах. Всех огорчает моя чудовищная «скупость» — ибо в бедность никто не верит.

———

Многие современники Фаины Георгиевны знали ее как вспыльчивого, порой капризного, часто язвительного человека. Но никто и никогда не знал ее скупердяйкой и жадиной. О доброте и щедрости Раневской до сих пор многие вспоминают со слезами на глазах. Говорили, что любой бедный человек мог подсесть к ней в транспорте и, попросив денег, тут же их получить. Ей должны были все актеры, и о долгах этих она никогда не вспоминала. При этом Фаина Раневская жила очень скромно. Единственная роскошь, которую она себе позволяла, — это, нежась в ванне, пить чай из самовара.

———

Эрзац-внук пришел к Раневской с любимой девушкой и представляет ее:

— Фаина Георгиевна, это Катя. Она умеет отлично готовить, любит печь пироги, аккуратно прибирает квартиру.

— Прекрасно, мой мальчик! Тридцать рублей в месяц, и пусть приходит по вторникам и пятницам.

———

У Раневской часто сменялись домработницы. Они были ее бесконечным кошмаром. Приходили в дом, как завоеватели, и уходили, как мародеры с поля боя. Лиза была, пожалуй, самой яркой из них.

— Что сегодня на обед? — интересуется Фаина Георгиевна у Лизы, когда та возвращается из магазина.

— Детское мыло и папиросы купила.

— А что к обеду?

— Вы очень полная, вам не надо обедать, лучше в ванне купайтесь.

— А где сто рублей?

— Ну вот детское мыло, папиросы купила.

— Ну а еще?

— Да что вам считать! Деньги от дьявола, о душе надо думать. Еще зубную пасту купила.

— У меня есть зубная паста.

— Я в запас, скоро ничего не будет, ей-богу, тут конец света на носу, а вы сдачи спрашиваете.

Фаина Георгиевна позволяла себя обманывать и обкрадывать, философски считая, что кому-то, возможно, ее материальные блага нужнее.

———————

Лиза бесконечное количество раз прощалась и вновь пользовалась добротой своей хозяйки. Так, однажды в гости к Раневской пришла Любовь Орлова в шикарной норковой шубе. Домработница актрисы, одержимая страстью найти себе спутника жизни, упросила Фаину Георгиевну, пока Орлова у нее в гостях, разрешить надеть эту шубу, чтобы произвести впечатление на очередного поклонника. Раневская разрешила, в чем потом горько раскаялась, поскольку Лизавета прогуляла аж три часа, а

Любовь Орлова так и не поняла, почему Фаина Георгиевна столь настойчиво уговаривала ее посидеть еще.

———

Раневская решила продать шубу. Открывает перед потенциальной покупательницей дверь шкафа — и вдруг оттуда вылетает здоровенная моль. Фаина Георгиевна провожает ее взглядом и внушительным тоном — с упреком — вопрошает: «Ну что, сволочь, нажралась?»

———

Раневская всю жизнь спала на узенькой тахте. Приобретенную однажды шикарную двуспальную кровать подарила на свадьбу своей домработнице Лизе.

———

Комната, в которой она жила в Старопименовском переулке, была кишка без окон, так что ее можно было уподобить гробу. «Живу, как Диоген, — говорила она, — днем с огнем».

―――――

Мне непонятно всегда было: люди стыдятся бедности и не стыдятся богатства.

Я ЖИЛА СО МНОГИМИ ТЕАТРАМИ, НО ТАК И НЕ ПОЛУЧИЛА УДОВОЛЬСТВИЯ

В отзыве «домосковского» критика Раневская описана так: «Очаровательная жгучая брюнетка, одета роскошно и ярко, тонкая фигурка утопает в кринолине и волнах декольтированного платья. Она напоминает маленькую сверкающую колибри...» Для зрителя, знающего актрису только по фильмам и поздним ролям, это описание кажется противоречащим ее данным. Но судя по фотографиям 20-х годов, Фаина действительно была красавицей. Не случайно в первом контракте ее амплуа обозначено — «героиня-кокетт».

В 1915 году к директору одного из подмосковных театров явилась молодая девица весьма неординарной наружности с рекомендательным письмом. Письмо было подписано близким приятелем директора, московским антрепренером Соколовским. «Дорогой Ванюша, — писал он, — посылаю тебе эту дамочку, чтобы только отвязаться от нее. Ты уж сам как-нибудь деликатно, намеком, в скобках, объясни ей, что делать ей на сцене нечего, что никаких перспектив у нее нет. Мне самому, право же, сделать это неудобно по ряду причин, так что ты, дружок, как-нибудь отговори ее от актерской карьеры — так будет лучше и для нее, и для театра. Это совершенная бездарь, все роли она играет абсолютно одинаково, фамилия ее Раневская...» К счастью, директор театра не послушался совета Соколовского.

Белую лисицу, ставшую грязной, я самостоятельно выкрасила чернилами.

Высушив, решила украсить ею туалет, набросив лису на шею. Платье на мне было розовое, с претензией на элегантность. Когда я начала кокетливо беседовать с партнером в комедии «Глухонемой» (партнером моим был актер Ечменев), он, увидев черную шею, чуть не потерял сознание. Лисица на мне непрестанно линяла. Публика веселилась при виде моей черной шеи, а с премьершей театра, сидевшей в ложе, бывшим моим педагогом, случилось нечто вроде истерики... (это была П.Л. Вульф). И это был второй повод для меня уйти со сцены.

———————

Первый сезон в Крыму, я играю в пьесе Сумбатова прелестницу, соблазняющую юного красавца. Действие происходит в горах Кавказа. Я стою на горе и говорю противно-нежным голосом: «Шаги мои легче пуха, я умею скользить, как змея...» После этих слов мне удалось свалить декорацию, изображавшую гору, и больно ушибить партнера. В публике смех, партнер, стеная, угрожает оторвать мне голову. Придя домой, я дала себе слово уйти со сцены.

———

Я провинциальная актриса. Где я только не служила! Только в городе Вездесранске не служила!..

———

Я сегодня играла очень плохо. Огорчилась перед спектаклем и не могла играть: мне сказали, что вымыли сцену для меня. Думали порадовать, а я расстроена, потому что сцена должна быть чистой на каждом спектакле.

———

Когда мне не дают роли в театре, чувствую себя пианистом, которому отрубили руки.

Маленькая Фаина в Таганроге

Папа Гирши Хаймович

Мама Милька Рафаиловна

Фаина с братом

Дом, где жила Фаина Раневская в Таганроге

С сестрой Изабеллой. 1917—1918 год

1929 год

1929 год

Одна из первых ролей. Раневская в роли Зинки в театральной постановке Александра Таирова «Патетическая соната». 1931 год

«Муля, не нервируй меня!» Эта фраза преследовала ее до конца жизни

«Подкидыш». 1939 год

«Человек в футляре». 1939 год

«Александр Пархоменко». 1942 год

«Свадьба». 1944 год

«Родные берега, или Три гвардейца». 1943 год

«Небесный тихоход». 1945 год

«Весна». 1947 год

«Золушка». 1947 год

«Рядовой Александр Матросов». 1947 год

Начало 50-х годов

«Девушка с гитарой». 1958 год

«Осторожно, бабушка!». 1960 год

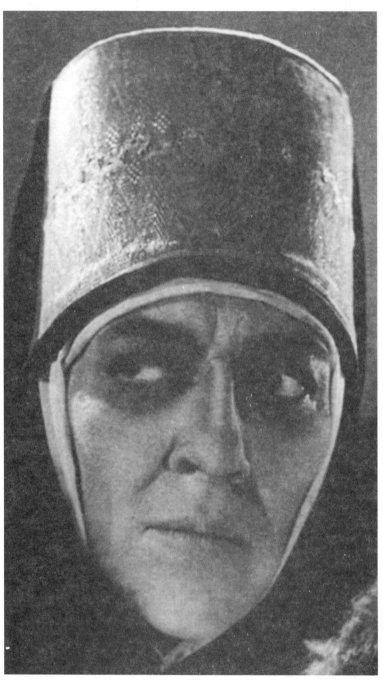

Пробы на роль Ефросиньи Старицкой

«Легче жизнь». 1964 год

Фаина Раневская – королева Марго

———

Нас приучили к одноклеточным словам, куцым мыслям, играй после этого Островского!

———

Сегодняшний театр — торговая точка. Контора спектаклей... Это не театр, а дачный сортир. Так тошно кончать свою жизнь в сортире.

———

Когда нужно пойти на собрание труппы, такое чувство, что сейчас предстоит дегустация меда с касторкой.

———

В театр хожу, как в мусоропровод: фальшь, жестокость, лицемерие, ни

одного честного слова, ни одного честного глаза! Карьеризм, подлость, алчные
старухи!

В нынешний театр я хожу так, как в
молодости шла на аборт, а в старости
рвать зубы. Ведь знаете, как будто бы
Станиславский не рождался. Они удив-
ляются, зачем я каждый раз играю по-
новому.

Великий Станиславский попутал все в
театральном искусстве. Сам играл не по
системе, а что сердце подскажет.

Эти новаторы погубили русский театр.
С приходом режиссуры кончились великие актеры, поэтому режиссуру я нена-

вижу (кроме Таирова). Они показывают
себя.

———————

Театр катится в пропасть по коммерче-
ским рельсам. Бедный, бедный К. С.

———————

Я — выкидыш Станиславского.

———————

После спектакля, в котором я играю, я
не могу ночью уснуть от волнения. Но
если я долго не играю, то совсем пере-
стаю спать.

———————

Что делать, когда надо действовать, надо
напрягать нечеловеческие усилия без
желания, а напротив, играя с отвраще-

нием непреодолимым, — почти все, над чем я тружусь всю мою жизнь?

———

Для меня каждый спектакль мой — очередная репетиция. Может быть, поэтому я не умею играть одинаково. Иногда репетирую хуже, иногда лучше, но хорошо — никогда.

———

Я не признаю слова «играть». Играть можно в карты, на скачках, в шашки. На сцене жить нужно.

———

Чтобы играть Раскольникова, нужно в себе умертвить обычного, земного, нужно стать над собой — нужно искать в себе Бога.

———

Кто бы знал мое одиночество? Будь он проклят, этот самый талант, сделавший меня несчастной. Но ведь зрители действительно любят? В чем же дело? Почему ж так тяжело в театре? В кино тоже гангстеры.

Говорят, что герой не тот, кто побеждает, а тот, кто смог остаться один. Я выстояла, даже оставаясь среди зверей, чтобы доиграть до конца. Зритель ни в чем не виновен. Меня боятся...

В театре меня любили талантливые, бездарные ненавидели, шавки кусали и рвали на части.

Перестала думать о публике и сразу потеряла стыд. А может быть, в буквальном смысле «потеряла стыд» — ничего о себе не знаю.

Я родилась недовыявленной и ухожу из жизни недопоказанной. Я недо... И в театре тоже. Кладбище несыгранных ролей. Все мои лучшие роли сыграли мужчины.

Мне бы только не мешали, а уж помощи я не жду... Режиссер говорит мне — пойдите туда, станьте там, — а я не хочу стоять «там» и идти «туда». Это против моей внутренней жизни, или я пока этого еще не чувствую.

— Почему, Фаина Георгиевна, вы не ставите и свою подпись под этой пьесой? Вы же ее почти заново переписали.

— А меня это устраивает. Я играю роль яиц: участвую, но не вхожу.

———

Узнав, что ее знакомые идут сегодня в театр посмотреть ее на сцене, Раневская пыталась их отговорить:

— Не стоит ходить: и пьеса скучная, и постановка слабая... Но раз уж все равно идете, я вам советую уходить после второго акта.

— Почему после второго?

— После первого очень уж большая давка в гардеробе.

———

— Я была вчера в театре, — рассказывала Раневская. — Актеры играли так плохо, особенно Дездемона, что когда Отелло душил ее, то публика очень долго аплодировала.

———

Как-то на южном море Раневская указала рукой на летящую чайку и сказала:

— МХАТ полетел.

— Говорят, что этот спектакль не имеет успеха у зрителей?

— Ну это еще мягко сказано, — заметила Раневская. — Я вчера позвонила в кассу и спросила, когда начало представления.

— И что?

— Мне ответили: «А когда вам будет удобно?»

Стараюсь припомнить, встречала ли в кино за 26 лет человекообразных.

Четвертый раз смотрю этот фильм и должна вам сказать, что сегодня актеры играли как никогда.

В свое время именно Эйзенштейн дал застенчивой, заикающейся дебютантке, только появившейся на «Мосфильме», совет, который оказал значительное влияние на ее жизнь.

— Фаина, — сказал Эйзенштейн, — ты погибнешь, если не научишься требовать к себе внимания, заставлять людей подчиняться твоей воле. Ты погибнешь, и актриса из тебя не получится!

Вскоре Раневская продемонстрировала наставнику, что кое-чему научилась.

Узнав, что ее не утвердили на роль в «Иване Грозном», она пришла в негодование и на чей-то вопрос о съемках этого фильма крикнула:

— Лучше я буду продавать кожу с жопы, чем сниматься у Эйзенштейна!

Автору «Броненосца» незамедлительно донесли, и он отбил из Алма-Аты восторженную телеграмму: «Как идет продажа?»

———

Раневская познакомилась и подружилась с теткой режиссера Львовича, которая жила в Риге, но довольно часто приезжала в Москву. Тетку эту тоже звали Фаина, что невероятно умиляло Раневскую, которая считала свое имя достаточно редким. «Мы с вами две Феньки, — любила при встрече повторять Раневская. — Это два чрезвычайно редких и экзотических имени».

Однажды сразу после выхода фильма «Осторожно, бабушка!» Фаина Раневская позвонила в Ригу своей тезке и спросила, видела ли та фильм.

— Еще не видела, но сегодня же пойду и посмотрю!

— Так-так, — сказала Раневская. — Я, собственно, зачем звоню... Звоню, чтобы предупредить — ни в коем случае не ходите, не тратьте деньги на билет, фильм — редкое г..!

———

Когда мне снится кошмар — это значит, я во сне снимаюсь в кино.

———

Сниmatься в плохом фильме — все равно что плюнуть в вечность!

———

О своих работах в кино: «Деньги проедены, а позор остался».

———

Каплер звонил, предлагал у него выступить, – Ф. Г. махнула рукой.

— Только мне и лезть на телевидение. Я пыталась отшутиться: «Представляете — мать укладывает ребенка спать, а тут я своей мордой из телевизора: «Добрый вечер!» Ребенок на всю жизнь заикой сделается...

Или жена с мужем выясняют отношения, и только он решит простить ее — тут я влезаю в их квартиру. «Боже, до чего отвратительны женщины!» — понимает он, и примирение разваливается. Нет уж, дорогой Люсенька, я скорее соглашусь станцевать Жизель, чем выступить по телевидению. С меня хватит и радио. Утром, когда работает моя «точка», я хоть могу мазать хлеб маслом и пить чай, не уставясь, как умалишенная, в экран. Да у меня его и нет.

ОЧЕНЬ ТЯЖЕЛО
БЫТЬ ГЕНИЕМ СРЕДИ
КОЗЯВОК

Как ошибочно мнение о том, что нет
незаменимых актеров.

Гёте сказал: «Все должно быть Единым,
вытекать из Единого и возвращаться
в Единое». Это для нас, для актеров, —
основа!

Для актрисы не существует никаких
неудобств, если это нужно для роли.

Очень тяжело быть гением среди козявок (об Эйзенштейне).

Есть люди, хорошо знающие, «что к чему». В искусстве эти люди сейчас мне представляются бандитами, подбирающими ключи.

Раневская долгие годы работала в Театре им. Моссовета. Однако отношения с главным режиссером у нее не сложились, и Завадскому частенько доставалось от ее острого языка.

Как-то Завадский, который только что к своему юбилею получил звание Героя Социалистического Труда, опаздывал на репетицию. Ждали долго. Наконец, не выдержав, Раневская спросила с раздражением:

— Ну, где же наша Гертруда?

———

Однажды Юрий Завадский крикнул в запале актрисе:

— Фаина Георгиевна, вы своей игрой сожрали весь мой режиссерский замысел!

— То-то у меня ощущение, что я наелась дерьма! — парировала «великая старуха».

———

Завадскому дают награды не по способностям, а по потребностям. У него нет только звания «Мать-героиня».

———

С упоением била бы морды всем халтурщикам, а терплю. Терплю невежество, терплю вранье, терплю убогое существование полунищенки, терплю и буду терпеть до конца дней. Терплю даже Завадского.

———

Присказка Раневской, порожденная ее трениями на профессиональной почве с Юрием Завадским:

— Вы знаете, что снится Завадскому? Ему снится, что он уже похоронен в Кремлевской стене.

———

Он (Завадский) умрет от расширения фантазии.

———

Геннадий Бортников встретился с Раневской через несколько дней после похорон Ю. Завадского: «Она прижала меня к себе и долго молчала. Молчал и я. В глазах Фаины Георгиевны была какая-то отрешенность.

— Осиротели, — сказала она. — Тяжело было с ним, а без него будет совсем худо».

———

Я знала его всю жизнь. Со времени, когда он только-только начинал, жизнь нас свела, и все время мы прошли рядом. И я грущу, тоскую о нем, мне жаль, что он ушел раньше меня. Я чувствую свою вину перед ним: ведь я так часто подшучивала над ним.

————————

— Шатров — это Крупская сегодня, — так определила Раневская творчество известного драматурга, автора многочисленных пьес о Ленине.

————————

Когда я говорю о «дерьме», то имею в виду одно: знал ли Сергей Владимирович, что всех детей, которые после этого фильма добились возвращения в Советский Союз, прямым ходом отправляли в лагеря и колонии? Если знал, то 30 сребреников не жгли руки?.. Вы знаете, что ему дали Сталинскую премию за «Дядю Степу»? Михаил Ильич Ромм после этого сказал, что ему стыдно носить лауреатский значок. Язвительный Катаев так изобразил его в «Святом колодце», такой псевдоним придумал — Осетрина (Михалков действительно похож на длинного осетра) — и живописал его способность, нет, особый нюх, позволяющий всегда оказываться среди видных людей или правительственных чиновников, когда те фотографируются.

———

— Ну-с, Фаина Георгиевна, и чем же вам не понравился финал моей последней пьесы?

— Он находится слишком далеко от начала.

———

— Очень сожалею, Фаина Георгиевна, что вы не были на премьере моей новой пьесы, — похвастался Раневской Виктор Розов. — Люди у касс устроили форменное побоище!

— И как? Удалось им получить деньги обратно?

———

Сейчас актеры не умеют молчать, а кстати, и говорить!

―――――

Сейчас все считают, что могут быть артистами только потому, что у них есть голосовые связки.

―――――

Ну надо же! Я дожила до такого ужасного времени, когда исчезли домработницы. И знаете почему? Все домработницы ушли в актрисы.

―――――

Вассу играла в 36-м году... Сравнивая и вспоминая то время, поняла, как сейчас трудно. Актеры — пошлые, циничные. А главное — талант сейчас ни при чем. Играет всякий кому охота.

―――――

Талант — это неуверенность в себе и мучительное недовольство собой и своими недостатками, чего я никогда не встречала у посредственности.

Для меня всегда было загадкой — как великие актеры могли играть с артистами, от которых нечем заразиться, даже насморком. Как бы растолковать бездари: никто к вам не придет, потому что от вас нечего взять. Понятна моя мысль неглубокая?

Как могли великие актеры играть с любым дерьмом? Очевидно, только малоталантливые актеры жаждут хорошего, первоклассного партнера, чтоб от партнерства взять для себя необходимое, чтоб поверить — я уже мученица. Ненавижу бездарную сволочь, не могу с ней ужиться, и вся моя долгая жизнь в театре — Голгофа.

Раневскую спросили, почему у Марецкой все звания и награды, а у нее намного меньше. На что Раневская ответила:

— Дорогие мои! Чтобы получить все это, мне нужно сыграть как минимум Чапаева!

———

У этой актрисы жопа висит и болтается, как сумка у гусара.

———

У нее голос — будто в цинковое ведро ссыт.

———

Обсуждая только что умершую подругу-актрису:

— Хотелось бы мне иметь ее ноги — у нее были прелестные ноги! Жалко — теперь пропадут.

———

— Нонна, что, артист Н. умер?
— Умер.
— То-то я смотрю, его хоронят...

Птицы ругаются, как актрисы из-за ролей. Я видела, как воробушек явно говорил колкости другому, крохотному и немощному, и в результате ткнул его клювом в голову. Все как у людей.

Увидев исполнение актрисой X. роли узбекской девушки в спектакле Кахара в филиале «Моссовета» на Пушкинской улице, Раневская воскликнула: «Не могу, когда шлюха корчит из себя невинность.

Критикессы — амазонки в климаксе.

Раневская участвовала в заседании приемной комиссии в театральном институте.

Час, два, три...

Последняя абитуриентка в качестве дополнительного вопроса получает задание:

— Девушка, изобразите нам что-нибудь эротическое с крутым обломом в конце...

Через секунду перед членами приемной комиссии девушка начинает нежно стонать:

— А... аа... ааа...

Аааа...

Аа-аа-аапчхи!!

———

Как-то Раневская позвонила Михаилу Новожихину, ректору Театрального училища им. М.С. Щепкина:

— Михаил Михайлович, дорогой мой, у меня к вам великая просьба. К вам в училище поступает один абитуриент, страшно талантливый. Фамилия его Малахов. Вы уж проследите лично, он настоящий самородок, не проглядите, пожалуйста...

Разумеется, Новожихин отнесся к такой высокой рекомендации со всем вниманием и лично присутствовал на экзамене. Малахов не произвел на него никакого впечатления и даже, напротив, показался абсолютно бездарным. После долгих колебаний он решил-таки позвонить Раневской и как-нибудь вежливо и тактично отказать ей в просьбе. Едва только начал он свои объяснения, как Фаина Георгиевна закричала в трубку:

— Ну как? Г...? Гоните его в шею, Михаил Михайлович! Я так и чувствовала, честное слово... Но вот ведь характер какой, меня просят посодействовать и дать рекомендацию, а я отказать никому не могу.

———————

Получаю письма: «Помогите стать актером». Отвечаю: «Бог поможет!»

НАРОДНЫЕ АРТИСТКИ
НА ДОРОГЕ НЕ ВАЛЯЮТСЯ

Во время гастрольной поездки в Одессу Раневская пользовалась огромной популярностью и любовью зрителей. Местные газеты выразились таким образом: «Одесса делает Раневской апофеоз!»

Актриса прогуливалась по городу, а за ней долго следовала толстая гражданка, то обгоняя, то заходя сбоку, то отставая, пока наконец не решилась заговорить.

— Я не понимаю, не могу понять, вы — это она?

— Да, да, да, — басом ответила Раневская. — Я — это она!

———

На улице в Одессе к Раневской обратилась прохожая:

— Простите, мне кажется, я вас где-то видела... Вы в кино не снимались?

— Нет, — отрезала Раневская, которой надоели уже эти бесконечные приставания. — Я всего лишь зубной врач.

— Простите, — оживилась ее случайная собеседница. — Вы зубной врач? А как ваше имя?

— Черт подери! — разозлилась Раневская, теперь уже обидевшись на то, что ее не узнали. — Да мое имя знает вся страна!

———

За Раневской по одесской улице бежит поклонник, настигает и радостно кричит, протягивая руку:

94

— Здравствуйте! Позвольте представиться, я — Зяма Иосифович Бройтман...

— А я — нет! — отвечает Раневская и продолжает прогулку.

———

Назойливая поклонница выпрашивает у Фаины Григорьевны номер ее телефона. На что та отвечает с изумлением в глазах:

— Милая, вы что, с ума сошли? Ну откуда я знаю свой телефон? Я же сама себе никогда не звоню.

———

После очередного спектакля, уже в гримерке, глядя на цветы, записки, письма, открытки, Раневская нередко замечала:

— Как много любви, а в аптеку сходить некому...

———

Чтобы получить признание — надо, даже необходимо, умереть.

————

Однажды Раневская отправилась в магазин за папиросами, но попала туда в тот момент, когда магазин закрывался на обед. Уборщица, увидев стоящую у дверей Раневскую, бросила метелку и швабру и побежала отпирать дверь.

— А я вас, конечно же, узнала! — обрадованно заговорила уборщица, впуская Раневскую. — Как же можно не впустить вас в магазин, мы ведь вас все очень любим. Поглядишь этак на вас, на ваши роли, и собственные неприятности забываются. Конечно, для богатых людей можно найти и более шикарных артисток, а вот для бедного класса вы как раз то, что надо!

Такая оценка ее творчества очень понравилась Раневской, и она часто вспоминала эту уборщицу и ее бесхитростные комплименты.

————

Этим ограничивается моя слава — «улицей», а начальство не признает. Все, как полагается в таких случаях.

———

Я часто думаю о том, что люди, ищущие и стремящиеся к славе, не понимают, что в так называемой славе гнездится то самое одиночество, которого не знает любая уборщица в театре. Это происходит оттого, что человека, пользующегося известностью, считают счастливым, удовлетворенным, а в действительности все наоборот. Любовь зрителя несет в себе какую-то жестокость... Однажды после спектакля, когда меня заставили играть «по требованию публики» очень больную, я раз и навсегда возненавидела свою «славу».

———

Многие получают награды не по способности, а по потребности. Когда у попрыгуньи болят ноги — она прыгает сидя.

———

Успех — единственный непростительный грех по отношению к своему близкому.

———

Как-то Раневская поскользнулась на улице и упала. Навстречу ей шел какой-то незнакомый мужчина.

— Поднимите меня! — попросила Раневская. — Народные артистки на дороге не валяются...

———

Спутник славы — одиночество.

Я ДАВНО ЖДАЛА МОМЕНТА, КОГДА ОРГАНЫ ОЦЕНЯТ МЕНЯ ПО ДОСТОИНСТВУ

Она была любима и вождями, и публикой, и критикой. Рузвельт отзывался о ней как о самой выдающейся актрисе XX века. А Сталин говорил: «Вот товарищ Жаров — хороший актер: понаклеит усики, бакенбарды или нацепит бороду. Все равно сразу видно, что это Жаров. А вот Раневская ничего не наклеивает — и все равно всегда разная». Этот отзыв ей пересказал Сергей Эйзенштейн, для чего разбудил ее ночью, вернувшись с одного из просмотров у Сталина. После звонка Раневской надо было разделить с кем-то свои чувства, и она надела поверх рубашки пальто и пошла во двор — будить дворника, с которым они и распили на радостях бутылочку.

———

— Знаете, — вспоминала через полвека Раневская, — когда я увидела этого лысого на броневике, то поняла: нас ждут большие неприятности.

———

— Фаина Георгиевна, вы видели памятник Марксу? — спросил кто-то у Раневской.

— Вы имеете в виду этот холодильник с бородой, что поставили напротив Большого театра? — уточнила Раневская.

———

Фаине Георгиевне уже присвоили звание народной артистки СССР, когда ею заинтересовался Комитет государственной безопасности и лично начальник контрразведки всего

Советского Союза генерал-лейтенант Олег Грибанов. Будучи человеком чрезвычайно занятым, Грибанов на встречу с Раневской послал молодого опера по фамилии Коршунов. Планировалась, как тогда говорили чекисты, моментальная вербовка в лоб. Коршунов начал.вербовочную беседу издалека. И о классовой борьбе на международной арене, и о происках инноразведок на территории СССР. Процитировал пару абзацев из новой хрущевской Программы КПСС, особо давил на то, что нынешнее поколение советских людей должно будет жить при коммунизме, да вот только проклятые наймиты империализма в лице секретных служб иностранных держав пытаются подставить подножку нашему народу. Невзначай напомнил также и о долге каждого советского гражданина, независимо от его профессиональной принадлежности, оказывать посильную помощь в их ратном труде по защите завоеваний социализма.

Вслушиваясь в страстный монолог молодого опера, Раневская прикидывала, как ей элегантней и артистичней уйти от предложения, которое должно было последовать в заключение пламенной речи. Фаина Георгиевна закуривает очередную беломорину, хитро прищуривается и спокойнейшим голосом говорит:

— Мне с вами, молодой человек, все понятно... Как, впрочем, и со мной тоже... Сразу, без лишних слов, заявляю: я давно ждала этого момента, когда органы оценят меня по достоинству и предложат сотрудничать! Я лично давно к этому готова — разоблачать происки ненавистных мне империалистических выползней... Можно сказать, что это моя мечта с детства. Но... Есть одно маленькое «но»! Во-первых, я живу в коммунальной квартире, а во-вторых, что важнее, я громко разговариваю во сне. Представьте: вы даете мне секретное задание, и я, будучи человеком обязательным и ответственным, денно и нощно обдумываю, как лучше его выполнить, а мыслительные процессы, как вы, конечно, знаете из психологии, в голове интеллектуалов происходят беспрерывно — и днем и ночью. И вдруг ночью, во сне, я начинаю сама с собой обсуждать способы выполнения вашего задания. Называть фамилии, имена и клички объектов, явки, пароли, время встреч и прочее... А вокруг меня соседи, которые неотступно следят за мной вот уже на протяжении многих лет. Они же у меня под дверью круглосуточно, как сторожевые псы, лежат, чтобы услышать, о чем и с кем это Раневская там по телефону говорит! И что? Я, вместо того чтобы принести свою помощь на алтарь органов госбезопасности, предаю вас! Я пробалтываюсь, потому что громко говорю во сне... Нет-нет, я просто кричу обо всем, что у меня в голове. Я говорю вам о своих недостатках заранее и честно. Ведь между нами, коллегами, не должно быть недомолвок, как вы считаете?'

Страстный и сценически искренний монолог Раневской произвел на Коршунова неизгладимое впечатление, с явки он ушел подавленный и напрочь разбитый железными аргументами кандидатки в агенты национальной безопасности. Доложив о состоявшейся вербовочной беседе Грибанову, он в заключение доклада сказал:

— Баба согласна работать на нас, я это нутром чувствую, Олег Михайлович! Но... Есть объективные сложности, выражающиеся в особенностях ее ночной физиологии.

— Что еще за особенности? — спросил Грибанов. — Мочится в постель, что ли?

— Нет-нет! Громко разговаривает во сне... Да и потом, Олег Михайлович, как-то несолидно получается... Негоже все-таки нашей прославленной народной артистке занимать комнату в коммунальной квартире.

После этой истории Фаина Георгиевна получила-таки отдельную квартиру, но работать на КГБ отказалась. Поклонникам актрисы так и не довелось услышать о Раневской как об агенте национальной безопасности.

Генсек Брежнев, вручая артистке орден Ленина, внезапно выговорил: «Муля, не нервируй меня!» — знаменитую фразу из фильма «Подкидыш», ставшего знаменитым оттого, что в нем снялась

Раневская. Она немедленно парировала: «Леонид Ильич, так ко мне обращаются или мальчишки, или хулиганы».

———

Председатель Комитета по телевидению и радиовещанию С.Г. Лапин, известный своими запретительскими привычками, был большим почитателем Раневской. Актриса, не любившая идеологических начальников, довольно холодно выслушивала его восторженные отзывы о своем творчестве.

Однажды Лапин зашел в гримуборную Раневской после спектакля и принялся восхищаться игрой актрисы. Целуя на прощание ей руку, он спросил:

— В чем я могу вас еще увидеть, Фаина Георгиевна?

— В гробу, — ответила Раневская.

ЦИНИЗМ НЕНАВИЖУ ЗА ЕГО ОБЩЕДОСТУПНОСТЬ

———

Я верю в Бога, который есть в каждом человеке. Когда я совершаю хороший поступок, я думаю, это дело рук Божьих.

———

Я не верю в духов, но боюсь их.

———

Есть люди, в которых живет Бог. Есть люди, в которых живет дьявол. А есть люди, в которых живут только глисты.

Проклятый девятнадцатый век, проклятое воспитание: не могу стоять, когда мужчины сидят.

Запомни на всю жизнь — надо быть такой гордой, чтобы быть выше самолюбия.

Я говорила долго и неубедительно, как будто говорила о дружбе народов.

В Москве, в Музее изобразительных искусств имени Пушкина, открылась выставка «Шедевры Дрезденской галереи». Возле «Сикстинской мадонны» Рафаэля стояло много людей — смотрели, о чем-то говорили... И неожиданно громко, как бы рассекая толпу, чей-то голос возмутился:

— Нет, я вот одного не могу понять... Стоят вокруг, полно народу. А что толпятся?.. Ну что в ней особенного?! Босиком, растрепанная...

— Молодой человек, — прервала монолог Ф.Г. Раневская, — эта дама так долго пленяла лучшие умы человечества, что она вполне может выбирать сама, кому ей нравиться, а кому — нет.

———————

Если бы я часто смотрела в глаза Джоконде, я бы сошла с ума: она обо мне знает все, а я о ней ничего.

———————

Ну и лица мне попадаются — не лица, а личное оскорбление!

———————

Пусть это будет маленькая сплетня, которая должна исчезнуть между нами.

———————

На голодный желудок русский человек ничего делать и думать не хочет, а на сытый — не может.

Еврей ест курицу, когда он болен или когда курица больна.

Чтобы мы видели, сколько мы переедаем, наш живот расположен на той же стороне, что и глаза.

Оптимизм — это недостаток информации.

Погода ваша меня огорчила, у нашей планеты явный климакс, поскольку планета — дама!

Я ненавижу зиму, как Гитлера!

———

Какой печальный город (Ленинград). Невыносимо красивый и такой печальный с тяжело-болезнетворным климатом.

———

Журналист интересуется:
— Кем была ваша мать до ее замужества?
— У меня не было матери до ее замужества.

———

Разгадывают кроссворд:
— Падшее существо, пять букв, последняя — мягкий знак.
Раневская, не задумываясь:
— Рубль!

———

Актеры на собрании труппы обсуждают товарища, которого обвиняют в гомосексуализме. Звучат выступления:

— Это растление молодежи...

— Это преступление...

— Боже мой, — не выдерживает Раневская, — несчастная страна, где человек не может распоряжаться своей жопой.

———

— Лесбиянство, гомосексуализм, мазохизм, садизм — это не извращения, — заявляла актриса. — Извращений, собственно, два — хоккей на траве и балет на льду.

———

Сказка — это когда женился на лягушке, а она оказалась царевной. А быль — это когда наоборот.

———

— Вот женишься, Алешенька, тогда поймешь, что такое счастье.

— Да?

— Да, но поздно будет.

———

Раневская, всю жизнь прожившая одна, говаривала:

— Семья — это очень серьезно, семья человеку заменяет всё. Поэтому, прежде чем завести семью, необходимо как следует подумать, что для вас важнее: всё или семья.

———

Фаина Георгиевна вернулась домой бледная как смерть и рассказала, что ехала от театра на такси.

— Я сразу поняла, что он лихач. Как он лавировал между машинами, увиливал от грузовиков, проскальзывал прямо перед носом прохожих! Но по-настоящему я испугалась уже потом. Когда мы приехали, он достал лупу, чтобы посмотреть на счетчик!

———

Киногруппа, в составе которой находилась Фаина Раневская, с утра выехала за город на натурные съемки. Предстояла большая работа, нужно было много успеть за день. У Раневской же, как назло, случилось расстройство желудка. По приезде на площадку она сразу направилась к выстроенному на краю поля дощатому сооружению. Аппаратура давно установлена, группа готова к съемкам, а артистки нет и нет. Режиссер нервничает, глядит на часы, оператор сучит ногами. Актриса не появляется. Орут, думая, что с ней что-то случилось. Она отзывается, кричит, что с ней все в порядке. Наконец после долгого ожидания дверь открывается, и Раневская, подходя к группе, говорит:

— Братцы вы мои! Знали бы вы, сколько в человеке дерьма!

———

Раневская, как и очень многие женщины, абсолютно не разбиралась в физике и однажды вдруг заинтересовалась, почему железные корабли не тонут.

— Как же это так? — допытывалась она у одной своей знакомой, инженера по профессии. — Железо ведь тяжелее воды, отчего же тогда корабли из железа не тонут?

— Тут все очень просто, — ответила та. — Вы ведь учили физику в школе?

— Не помню.

— Ну, хорошо, был в древности такой ученый по имени Архимед. Он открыл закон, по которому на тело, погруженное в воду, действует выталкивающая сила, равная весу вытесненной воды...

— Не понимаю, — развела руками Фаина Георгиевна.

— Ну вот, к примеру, вы садитесь в наполненную до краев ванну, что происходит? Вода вытесняется и льется на пол... Отчего она льется?

— Оттого, что у меня большая ж...! — догадалась Раневская, начиная постигать закон Архимеда.

———

От долгой носки юбка у Раневской стала даже просвечиваться. По этому поводу она заметила:

— Напора красоты не может сдержать ничто.

КТО ПРОИЗНОСИТ ФЕНÓМЕН, ПУСТЬ ПОЦЕЛУЕТ МЕНЯ В ЗАДНИЦУ

В доме отдыха на прогулке приятельница заявляет:

— Я так обожаю природу.

Раневская останавливается, внимательно осматривает ее и говорит:

— И это после того, что она с тобой сделала?

———

Раневская и Марецкая идут по Тверской. Раневская говорит:

— Тот слепой, которому ты подала монету, не притворяется, он действительно не видит.

— Почему ты так решила?

— Он же сказал тебе: «Спасибо, красотка!»

———

— А ведь вы, Вано [Вано Ильич Мурадели], не композитор!

— Это почему же я не композитор?

— Да потому, что у вас фамилия такая. Вместо «ми» у вас «му», вместо «ре» — «ра», вместо «до» — «де», вместо «ля» — «ли». Вы же, Вано, в ноты не попадаете!

———

Раневская приглашает в гости и предупреждает, что звонок не работает:

— Когда придете, стучите ногами.

— Почему ногами, Фаина Георгиевна?!

— Ну вы же не с пустыми руками собираетесь приходить!

———

В переполненном автобусе, развозившем артистов после спектакля, раздался неприличный звук. Раневская наклонилась к уху соседа и шепотом, но так, чтобы все слышали, выдала:

— Чувствуете, голубчик? У кого-то открылось второе дыхание!

———

Идущую по улице Раневскую толкнул какой-то человек, да еще и обругал грязными словами. Фаина Георгиевна сказала ему:

— В силу ряда причин я не могу сейчас ответить вам словами, какие употребляете вы. Но искренне надеюсь, что когда вы вернетесь домой, ваша мать выскочит из подворотни и как следует вас искусает.

———

Раневская со всеми своими домашними и огромным багажом приезжает на вокзал.

— Жалко, что мы не захватили пианино, — говорит Фаина Георгиевна.

— Неостроумно, — замечает кто-то из сопровождающих.

— Действительно неостроумно, — вздыхает Раневская. — Дело в том, что на пианино я оставила все билеты.

———

Находясь уже в преклонном возрасте, Раневская тем не менее умела заставить людей подчиняться и выполнять ее требования. Однажды перед Московской олимпиадой Раневская набрала номер директора театра и официальным тоном сообщила, что ей срочно нужна машина. Директор попробовал отказать, сославшись на то, что машина занята, но Раневская сурово перебила:

— Вы что же, не понимаете? Я должна объехать Москву и показать мальчику олимпийские объекты. Он хочет убедиться, что все в порядке...

Директор вынужден был отправить машину Раневской, хоть и не знал, какой такой еще мальчик желает проверить готовность объектов. А Мальчик — была кличка любимой собаки Фаины Георгиевны.

———————

Как-то Фаина Раневская записала для радио длинное и подробное интервью о своей жизни, о работе в театре, о ролях в кино. Интервью это одобрили, и оно должно было пойти в эфир, но накануне передачи к ней приехала корреспондентка и попросила переписать одно место, где Раневская якобы неправильно произносит слово «феномен».

— Я справилась в словаре современного русского языка, — сказала корреспондентка. — Так вот, по-современному произносить это слово нужно с ударением на «о» — фено́мен! А вы произнесли «феноме́н».

Раневская поначалу заспорила, но потом согласилась и отправилась на студию переписывать этот кусок интервью. Однако, по всей видимости, по дороге одумалась, так что когда села к микрофону, то резко и твердо сказала:

— Феноме́н, феноме́н и еще раз феноме́н! А кто произносит фено́мен, пусть поцелует меня в задницу!

———

Меня пригласила к себе образованнейшая, утонченнейшая женщина XIX века Щепкина-Куперник. Я благоговела перед нею, согласно кивала, когда она завела речь о Чехове, о его горестной судьбе и ялтинском одиночестве, когда супруге все недосуг было приехать. После третьей рюмки я почувствовала себя достаточно раскрепощенно:

— Татьяна Львовна, а ведь Ольга Леонардовна Книппер-Чехова — блядь.

И обмерла от ужаса: сейчас мне откажут от дома!

Но изысканная Татьяна Львовна всплеснула ручками и очень буднично, со знанием дела воскликнула:

— Блядь, душенька, блядь!..

6-11416

1896
1984

*Фаина
Раневская*

РОССИЯ
ROSSIJA · 2001

2.50

Фаина Раневская у себя дома

С Екатериной Фурцевой

Театр им. Моссовета. Фаина Раневская и Ростислав Плятт. 1969 год

Кадр из сатирического киножурнала «Фитиль»

1979 год

Рабочий стол в кабинете

Встреча со зрителями

Памятник Фаине Раневской в Таганроге

———

Раневская после спектакля сидела в своей гримерке совершенно голая и курила сигару. В этот момент дверь распахнулась и на пороге застыл один из изумленных работников театра. Актриса не смутилась и произнесла своим знаменитым баском:

— Дорогой мой, вас не шокирует, что я курю?

———

Фаина Георгиевна ехала в лифте с артистом Геннадием Бортниковым, а лифт застрял... Ждать пришлось долго — только минут через сорок их освободили. Молодому Бортникову Раневская сказала, выходя:

— Ну вот, Геночка, теперь вы обязаны на мне жениться! Иначе вы меня скомпрометируете!

———

Раневскую остановил в Доме актера один поэт, занимающий руководящий пост в Союзе писателей.

— Здравствуйте, Фаина Георгиевна! Как ваши дела?

— Очень хорошо, что вы спросили. Хоть кому-то интересно, как я живу! Давайте отойдем в сторонку, и я вам с удовольствием обо всем расскажу.

— Нет-нет, извините, но я спешу. Мне, знаете ли, надо еще на заседание...

— Но вам же интересно, как я живу! Что же вы сразу убегаете, вы послушайте. Тем более что я вас задержу ненадолго: минут сорок, не больше.

Руководящий поэт начал спасаться бегством.

— Зачем же тогда спрашивать, как я живу?! — кричала ему вслед Раневская.

———

Однажды на съемках ее постоянный гример то ли заболел, то ли просто не пришел — так или иначе, на месте его не оказалось. После солидного скандала, на кои, говорят, она была не меньший мастер, чем на все остальное, Раневская согласилась на замену — робкую, скромную, только что после института молоденькую девушку. Та и так была в полуобмороке от сознания того, с кем ей предстоит работать, а этот скандал ее доконал окончательно. Очевидно, желая подбодрить новенькую, Раневская решила поговорить с ней о жизни. «Замужем?» — спросила она. «Нет...» — робко пискнула девушка. «Хорошо! — одобрила Фаина Георгиевна. — Вот помню, когда в Одессе меня лишали невинности, я орала так, что сбежались городовые!»

———————

Раневская постоянно опаздывала на репетиции. Завадскому это надоело, и он попросил актеров о том, чтобы, если Раневская еще раз опоздает, просто ее не замечать.

Вбегает, запыхавшись, на репетицию Фаина Георгиевна:

— Здравствуйте!

Все молчат.

— Здравствуйте!

Никто не обращает внимания. Она в третий раз:

— Здравствуйте!

Опять та же реакция.

— Ах, нет никого?! Тогда пойду поссу.

———

А. Щеглову:
Драстуйте дарагой дядичька. Вам пишит ваша плимяница из города — Краснокурьева. Наш город Краснокурьев славитца своими курями. Куры у нас белыя и чорныя, и серинькия а почему наш горад называеца Краснокурьев я не знаю. Я учусь в первам класи и щитаюсь первай учиницай патаму что другие рибята пишат ище хужи миня. Дарагой дядичка пожалуста пришлите мне к новому году много подарков за то что я так харашо пишу без адной ашипки. А сичас дядичка я Вам посылаю шикалатку патаму что вы дядичка такой сукин сын что кроми шикалатки ничего не жрете. Дядичка у миня спортился корондашык и сафсем ни пишит а патаму я вас очинь кребко абнимаю и цулую. Ваша плимяница.
Дуся Пузикова.

У НИХ БЫЛИ РАЗНЫЕ ВКУСЫ: ОНА ЛЮБИЛА МУЖЧИН, А ОН — ЖЕНЩИН

Союз глупого мужчины и глупой женщины порождает мать-героиню. Союз глупой женщины и умного мужчины порождает мать-одиночку. Союз умной женщины и глупого мужчины порождает обычную семью. Союз умного мужчины и умной женщины порождает легкий флирт.

———

Если женщина идет с гордо поднятой головой — у нее есть любовник! Если женщина идет с опущенной головой — у нее есть любовник! Если женщина держит голову прямо — у нее есть любовник! И вообще, если у женщины есть голова, то у нее есть любовник!

———

Если женщина говорит мужчине, что он самый умный, то она предполагает, что второго такого дурака она не найдет.

———

Бог создал женщин красивыми, чтобы их могли любить мужчины, и глупыми, чтобы они могли любить мужчин.

———

Женщины, конечно, умнее. Вы когда-нибудь слышали о женщине, которая бы потеряла голову только от того, что у мужчины красивые ноги?

———

— Какие, по вашему мнению, женщины склонны к большей верности — брюнетки или блондинки?

— Седые.

———

Настоящий мужчина — это мужчина, который точно помнит день рождения женщины и никогда не знает, сколько ей лет. Мужчина, который никогда не помнит дня рождения женщины, но точно знает, сколько ей лет, — это ее муж.

———

Молодая актриса как-то спросила у Раневской:

— Фаина Георгиевна, как вы думаете, почему у мужчин красивая женщина пользуется бо́льшим успехом, чем умная?

— Деточка, это же так просто! Слепых мужчин на свете не слишком много, а глупых — хоть пруд пруди...

———

— Почему женщины так много времени и средств уделяют внешнему виду, а не развитию интеллекта?

— Потому что слепых мужчин гораздо меньше, чем глупых.

———

Много я получала приглашений на свидания. Первое, в ранней молодости, было неудачным. Гимназист поразил меня фуражкой, где над козырьком был великолепный герб гимназии, а тулья по бокам была опущена и лежала на ушах. Это великолепие сводило меня с ума. Придя на свидание, я застала на указанном месте девочку, которая попросила меня удалиться, так как я уселась на скамью, где у нее свидание. Вскоре появился и герой, нисколько не смутившийся при виде нас обеих. Герой сел между нами и стал насвистывать. А соперница требовала, чтобы я немедленно удалилась. На что я резонно отвечала: «На этом месте мне назначено свидание, и я никуда не уйду». Соперница заявила, что не сдвинется с места. Я сделала такое же заявление. Каждая из нас долго отстаивала свои права. Потом герой и соперница пошептались. После чего соперница подняла с земли несколько увесистых камней и стала в меня их кидать. Я заплакала и покинула поле боя... О моем первом свидании я рассказала Маршаку, он смеялся: ему понравилось то, что, вернувшись все-таки на поле боя, я сказала: «Вот увидите, вас накажет Бог!» И ушла, полная достоинства.

———

Больше всего в жизни я любила влюбляться.

———

Раневская выступала на одном из литературно-театральных вечеров, где одна из молодых девушек спросила:

— Фаина Георгиевна, что такое любовь?

Немного подумав, Раневская ответила:
— Забыла.

И тут же добавила:

— Но помню, что это что-то очень приятное.

———

— Удивительно, — сказала как-то Раневская, — когда мне было двадцать лет, я думала только о любви, а теперь люблю только думать.

———

Однажды я забыла люстру в троллейбусе. Новую, только что купленную. Загляделась на кого-то и так отчаянно кокетничала, что вышла через заднюю дверь без люстры: на одной руке сумочка, другая была занята воздушными поцелуями...

————————

Раневскую спросили, была ли она когда-нибудь влюблена.

— А как же, — сказала Раневская, — вот было мне девятнадцать лет, поступила я в провинциальную труппу — сразу же и влюбилась. В первого героя-любовника! Уж такой красавец был! А я-то, правду сказать, страшна была, как смертный грех... Но очень любила ходить вокруг, глаза на него таращила, он, конечно, ноль внимания... А однажды вдруг подходит и говорит шикарным своим баритоном: «Деточка, вы ведь возле театра комнату снимаете? Так ждите сегодня вечером: буду к вам в семь часов».

Я побежала к антрепренеру, денег в счет жалованья взяла, вина накупила, еды всякой, оделась, накрасилась — жду сижу. В семь нету, в восемь нету, в девятом часу приходит... Пьяный и с бабой! «Деточка, — говорит, — погуляйте где-нибудь пару часиков, дорогая моя!»

С тех пор не то что влюбляться — смотреть на них не могу: гады и мерзавцы!

———

Толстой сказал, что смерти нет, а есть любовь и память сердца. Память сердца так мучительна, лучше бы ее не было... Лучше бы память навсегда убить.

———

Одна из хороших знакомых Фаины Георгиевны постоянно переживала драмы из-за своих любовных отношений с сослуживцем, которого звали Симой. Периодически он ее бросал, она регулярно обливалась слезами после очередной ссоры, время от времени делала от него аборты. Благодаря Раневской к молодой женщине приклеилось прозвище: «Жертва Хера Симы».

———

У меня был любовник гусар-кавалерист. Когда мы остались вдвоем, я уже лежу, он разделся, подошел ко мне, и я вскрикнула:

— Ой, какой огромный!

А он довольно улыбнулся и, покачав в воздухе своим достоинством, гордо сказал:

— Овсом кормлю!

———

— У меня будет счастливый день, когда вы станете импотентом, — в сердцах сказала Раневская чересчур назойливому ухажеру.

———

Раневскую спросили, не знает ли она причины развода ее приятелей. Фаина Георгиевна, не задумываясь, сказала:

— У них были разные вкусы: она любила мужчин, а он — женщин.

———

— Вы не поверите, Фаина Георгиевна, но меня еще не целовал никто, кроме жениха.

— Это вы хвастаете, милочка, или жалуетесь?

———

Зашел как-то разговор о мужчине и женщине, находящихся в любовной связи.

— То есть вы хотите сказать, Фаина Георгиевна, что они живут как муж и жена? — пытается выяснить все подробности любопытная собеседница.

— Нет, гораздо лучше, — отвечает Раневская.

———

— Дорогая, сегодня я спала с незакрытой дверью. А если бы кто-то вошел? — жалуется Раневской приятельница пенсионного возраста.

— Ну сколько можно обольщаться! — не замедлила ответить Фаина Георгиевна.

———

Как известно, актриса Александра Яблочкина до самой старости оставалась девицей.

При случае она у Раневской попыталась выяснить подробности самого любовного процесса, какие ощущения при этом испытывает женщина. После детального рассказа Яблочкина изрекла сакраментальную фразу:

— Боже! И это все без наркоза!

———

Находясь на гастролях, группа артистов от нечего делать отправилась днем в зоопарк. Среди них была и Раневская. И вот в одной из клеток перед ними предстал удивительного вида олень, на голове у которого вместо двух рогов выросло целых четыре.

— Какое странное животное! Что за фокус? — удивился кто-то.

— Я думаю, что это просто вдовец, который имел неосторожность снова жениться, — предположила Фаина Георгиевна.

———————

Как-то Фаина Георгиевна рассказывала, что в доме отдыха, где ей довелось недавно побывать, объявили конкурс на самый короткий рассказ. Тема — любовь. Но есть четыре условия:

Во-первых, в рассказе должна быть упомянута королева.

Во-вторых, упомянут Бог.

В-третьих, чтобы было немного секса.

В-четвертых, присутствовала тайна.

Первую премию получил рассказ, состоявший из одной фразы:

— О Боже! — воскликнула королева. — Я, кажется, беременна и неизвестно от кого!

———————

Раневская возвращается домой с гастролей, кроме нее в купе еще три женщины. Они между собой ведут разговор о минувшем отдыхе.

Одна говорит:

— Вернусь домой и во всем признаюсь мужу.

Вторая восхищается:

— Ну ты и смелая!

Третья осуждает:

— Ну ты и глупая!

— Ну у тебя и память! — не преминула бросить свою реплику актриса.

———

Еще в 60-е годы Раневская рассказала историю, которая моментально стала популярным анекдотом. Поехала она с несколькими артистами театра по путевке на Черное море. А муж одной из них достал путевку в соседний санаторий.

И вот муж пришел навестить свою жену. Прогуливаются они по аллее, и все встречающиеся мужчины очень вежливо раскланиваются с его женой. Муж заинтересовался:

— Кто это?

— Это члены моего кружка...

Затем все пошли провожать мужа до его санатория. Многие женщины раскланиваются с ним.

— А кто это? — спрашивает жена.

— А это кружки моего члена.

———

— Фаина Георгиевна, на что похожа женщина, если ее поставить вверх ногами?

— На копилку.

— А мужчина?

— На вешалку.

———

Анекдот, авторство которого приписывают Раневской.

Разгадывают кроссворд:

— Женский половой орган из пяти букв?

— По вертикали или по горизонтали?

— По горизонтали.

— Тогда ротик.

———

Объясняя, почему презерватив белого цвета, Раневская говорила:

— Потому, что белый цвет полнит.

———————

Юноша с девушкой сидят на лавочке. Юноша очень стеснительный, а девушке очень хочется, чтобы он ее поцеловал. Тогда она говорит:

— Ой, у меня щека болит.

Юноша целует ее в щечку.

— Ну как, теперь болит?

— Нет, не болит.

Через некоторое время опять:

— Ой, у меня шейка болит!

Юноша целует ее в шейку.

— Ну как, болит?

— Нет, не болит.

Сидевшая рядом Раневская поинтересовалась у юноши:

— Молодой человек, вы от геморроя не лечите?

———————

— Сколько раз в жизни краснеет женщина?

— Четыре: в первую брачную ночь, когда в первый раз изменяет, когда в первый раз берет деньги, когда в первый раз дает деньги.

— А мужчина?

— Два раза: первый раз — когда не может второй, второй — когда не может первый.

Я СЕБЯ ЧУВСТВУЮ, НО ПЛОХО

Здоровье — это когда у вас каждый день болит в другом месте.

Чем я занимаюсь? Симулирую здоровье.

Ночью болит все, а больше всего совесть.

Нет болезни мучительнее тоски.

———

Склероз нельзя вылечить, но о нем можно забыть.

———

Если больной очень хочет жить, врачи бессильны.

———

— Вы заболели, Фаина Георгиевна?
— Нет, я просто так выгляжу.

———

На вопрос одного из актеров, справлявшихся по телефону у Раневской о ее здоровье, она отвечает:

— Дорогой мой, такой кошмар! Голова болит, зубы ни к черту, сердце жмет, кашляю ужасно, печень, почки, желудок — все ноет! Суставы ломит, еле хожу... Слава богу, что я не мужчина, а то была бы еще импотенция!

———

Медсестра, лечившая Раневскую, рассказала, как однажды Фаина Георгиевна принесла на анализ мочу в термосе. Сестра удивилась, почему именно в термосе, надо было в баночке. На что великая актриса возмущённо пробасила: «Ох, ни хрена себе! А кто вчера сказал: неси прямо с утра, тёплую!?»

———

Была сегодня у врача «ухо-горло-жопа».

———

Прихожу в поликлинику и жалуюсь:
— Доктор, у меня что-то в последнее время вкуса нет.
Тот обращается к медсестре:
— Дайте Фаине Георгиевне семнадцатую пробирку.
Я попробовала.
— Это же говно.
— Всё в порядке. Вкус появился.

Проходит несколько дней, я опять появляюсь в кабинете этого врача:

— Доктор, вкус-то появился, но с памятью всё хуже и хуже.

Доктор обращается к медсестре:

— Дайте Фаине Георгиевне пробирку номер семнадцать.

— Там же говно! — ору я.

— Всё в порядке. Вот и память вернулась.

————

Фаина Георгиевна много курила, и когда известный художник-карикатурист Иосиф Игин пришел к ней, чтобы нарисовать ее, она так и вышла — погруженной в клубы дыма на темном фоне. Врачи удивлялись ее легким:

— Чем же вы дышите?

— Пушкиным, — отвечала она.

————

А.А. Ахматовой:

Спасибо, дорогая, за Вашу заботу и внимание и за поздравление, которое пришло на третий день после операции, точно в день моего рождения, в понедельник.

Несмотря на то, что я нахожусь в лучшей больнице Союза, я все же побывала в Дантовом аду, подробности которого давно известны.

Вот что значит операция в мои годы со слабым сердцем. На вторые сутки было совсем плохо, и вероятнее всего, что если бы я была в другой больнице, то уже не могла бы диктовать это письмо.

Опухоль мне удалили, профессор Очкин предполагает, что она была незлокачественной, но сейчас она находится на исследовании. В ночь перед операцией у меня долго сидел Качалов В.И. и мы говорили о Вас.

Я очень терзаюсь кашлем, вызванным наркозом. Глубоко кашлять с разрезанным животом непередаваемая пытка. Передайте привет моим подругам.

У меня больше нет сил диктовать, дайте им прочитать мое письмо. Сестра, которая пишет под мою диктовку, очень хорошо за мной ухаживает, помогает мне. Я просила Таню Тэсс Вам дать знать о результате операции. Обнимаю Вас крепко и благодарю.

В.И. Качалов Ф.Г. Раневской:
Грустно стало за Вас, что такое безрадостное и тяжелое для Вас выпало лето, не давшее Вам ни отдыха, ни утешения...

Не падайте духом. Фаина, не теряйте веры в свои большие силы, в свои прекраснейшие качества — берегите свое здоровье. Больше всего думается — именно теперь, в эту Вашу неудачную, несчастливую полосу жизни — больше всего думается о здоровье.

Только о своем здоровье и думайте. Больше ни о чем пока! Все остальное приложится, раз будет здоровье, — право же, это не пошляческая сентенция. Ваша «сила» внутри Вас, Ваше «счастье» в Вас самой и Вашем таланте, который, конечно, победит, не может не победить всякое сопротивление внешних фактов, пробьется через всяческое сопротивление, через всякое «невезение» и всякие «незадачи» очных ставок с подкидышами через головы Судаковых и Поповых, назло всем старухам зловещим Малого театра.

Только нужно, чтобы Вы были здоровы и крепки, терпеливы и уверены в себе. Главное — здоровье.

Крепко Вас обнимаю.

Ваш В. Качалов.

————

В.И. Качалов Ф.Г. Раневской:
«Кланяюсь страданию твоему». Верю, что страдание твое послужит тебе к украшению, и ты вернешься из Кремлевки крепкая, поздоровевшая, и еще ярче засверкает твой прекрасный талант.

Я рад, что эта наша встреча сблизила нас, и еще крепче ощутил, как нежно я люблю тебя.

Целую тебя, моя дорогая Фаина.

Твой ЧТЕЦ-ДЕКЛАМАТОР.

ДРУГА ЛЮБИТЬ — СЕБЯ НЕ ЩАДИТЬ. Я БЫЛА ТАКОЙ

Не наблюдаю в моей дворняге тупости, которой угнетают меня друзья-неандертальцы. А где теперь взять других?

———

Я обязана друзьям, которые оказывают мне честь своим посещением, и глубоко благодарна друзьям, которые лишают меня этой чести. У них у всех друзья такие же, как они сами, — контактны, дружат на почве покупок, почти живут в комиссионных лавках, ходят друг к другу в гости. Как я завидую им — безмозглым!

Ф. Г. сдружилась с Еленой Сергеевной уже после смерти Булгакова и помогала как могла. Ведь ничего не издавалось, ничего не ставилось. Однажды вдова сказала:

— Фаина, я вам верю. Клянусь, как только вы скажете, что пора оставить косметику, я немедленно подчинюсь.

— Не помню, Глеб (Глеб Скороходов), какая вожжа мне попала под хвост, но как-то я позвонила Елене Сергеевне и произнесла одно зловещее слово: «Пора!» Очевидно, в свои сорок с гаком я в очередной раз решила: любви ждать нечего, жизнь кончилась, и надо перестать ее раскрашивать.

Булгакова встретила мое решение без прежнего энтузиазма:

— Наверное, вы правы. Но можно отложить принятие обета до новогоднего карнавала?

Устроила она это действо у себя в квартире. Не такие просторы, как на воландовском балу, но Маргарита всегда умела устроить из комнаток праздничные залы. «Вход без маскарадных костюмов строго воспрещен!» — это она объявила заранее. Я, правда, пришла в обычном платье, но мне тут же выдали накидку со звездами а-ля Метерлинк, напялили на голову шляпу-гнездо, в котором сидела птица с хищным клювом. Поначалу я не находила себе места, танцевать не хотелось, интриговать тоже. Профессор Дорлиак что-то обсуждала с подругой, тоже в «домино». Сережка Булгаков в наполеоновской треуголке болтал что-то ужасно глупое. Стало жутко, когда в квартиру вползли опоздавшие Славы — Рихтер и Ростропович. Медленно вползли в костюмах крокодилов — отличные им сделали в театре Образцова: с зеленой пупырчатой кожей, с когтистыми лапами. Дамы визжали и поднимали ноги, профессор Дорлиак норовила залезть на стол.

Перед полночью появилась актриса, всю жизнь играющая старух. Этому секрету разгадки нет — вы смеялись, едва увидя ее. Она пришла в невообразимом костюме под названием «Урожай»: колосья торчат из венка во все стороны, платье увешано баранками разного калибра и цвета. Баранки-бусы на шее, баранки-серьги в ушах и даже одна баранка в носу...

— Я только что с сельскохозяйственной выставки. Первое место во всесоюзном конкурсе мое!

Я подумала: «Пельтцер — гениальна!» А это, конечно, была она — другой такой старухи у нас нет. Тогда еще не отменили хлебные карточки, и Таню хотелось тут же начать обкусывать. Насмеялись мы на целый год не случайно: страшнее наступающего 1946 года я не припомню.

———

С Любовью Орловой они были, можно сказать, приятельницами, но и в ее адрес Раневская позволяла себе шуточки. От безобидной:

— Шкаф Любови Петровны так забит нарядами, что моль, живущая в нем, никак не может научиться летать.

До колкого передразнивания:

— Ну что, в самом деле, Чаплин, Чаплин... Какой раз хочу посмотреть, во что одета его жена, а она опять в своем беременном платье! Поездка прошла совершенно впустую.

———————

Фаина Раневская и Варвара Сошальская были заняты в спектакле «Правда хорошо, а счастье лучше». Раневской уже было за восемьдесят, а Сошальской к восьмидесяти.

Однажды на репетиции Сошальская плохо себя почувствовала: в ночь перед репетицией не спала, подскочило давление... В общем, все ужасно. Раневская пошла в буфет, чтобы купить ей шоколадку или что-нибудь сладкое, дабы поднять подруге настроение. В буфете продавались здоровенные парниковые огурцы, в ту пору впервые среди зимы появившиеся в Москве.

Фаина Георгиевна немедленно купила огурец невообразимых размеров, положила в карман передника — она играла служанку — и отправилась на сцену. В тот момент, когда нужно было подать что-то барыне — Сошальской, Раневская вытащила из кармана огурец:

— Вавочка, посмотри, какой огурчик я тебе принесла...

— Спасибо тебе, Фуфочка! — обрадовалась Сошальская.

Уходя со сцены, Раневская очень хитро подмигнула и уточнила:

— Вавочка, я дарю тебе этот огурчик. Хочешь — ешь его, хочешь — живи с ним...

Пришлось режиссеру объявить перерыв, поскольку после этой фразы присутствующие просто полегли от хохота и репетировать уже никто не мог...

———

К соседу, Роме Кармену, не пойду. К Галине Сергеевне (Улановой) можно, но вдруг ей из-за меня придется менять планы? Вот, пожалуй, к кому можно смело идти, так это к Лиде Смирновой. Мне будет рада искренне, без притворства. Когда мы с ней снимались в михалковском дерьме «У них есть

Родина», мы так дружно страдали по своим возлюбленным — слезы лились в четыре ручья!

———

Е.С. Булгаковой:
Спасибо, дорогая моя Елена Сергеевна, за письмо. Мне понятно Ваше предотъездное трепыхание, пейте валерьянку и напевайте «Три богини спорить стали...». Это проверено, очень помогает. Подумайте только покойно: «Впереди Париж!»

Дорогая, я получила сегодня письмо из Парижа от одной чудесной старой дамы — подруги моей сестры, русской, замужем за французом-профессором. Белла обожала эту свою подругу. Представьте, живя 50 лет в Париже, эта Мария Васильевна не научилась говорить по-французски! Имея в мужьях француза! Прелесть!

Если у Вас будет свободная минута, не откажите попросить Вашу родственницу посмотреть в телефонной книге профессора Pier De Vambez.

Вот обрадуете, если скажете, что были дружны с Беллой.

А профессор покажет Вам всякие прелести.

Будьте благополучны.

Господь с Вами.

———————

В.А. Герасимовой:
Милая, милая Валерия Анатольевна!

Если бы Вы могли хоть на минуту представить себе, как я терзалась тем, что по сей день не могла Вам написать. На следующий же день после нашей встречи возникли все препятствия, болезни домашних, репетиции, киносъемки и еще много всякого противного. К тому же я сама говорю: «Воспаление во всем теле».

«Хитрые глаза» и «Третье сословие» я прочитала в ту же ночь, как получила Вашу книгу. Обе эти вещи очень меня растревожили, не подберу другого слова. Страшновато и великолепно, и такая правда во всем.

Пьесу же из «Хитрых глаз», по-моему, сделать трудно, а может быть, и нельзя. Об этом подробно я скажу, когда мы встретимся. Я еще и еще раз убедилась в том, какая Вы умная, талантливая и честная... Все, о ком Вы говорите, мои хорошие знакомые. Я должна из-за нездоровья дня 3 пробыть дома. Это даст мне возможность прочесть всю книгу. От Вас самой, а потому и от Вашей книги за версту несет благородством. Простите некрасивое выражение. Влияние Ваше как писателя на меня огромно — я никогда не буду пользоваться цитатами. Все же мне непреодолимо хочется в последний раз (клянусь) процитировать обожаемого Герцена: «Частная жизнь сочинителя есть драгоценный комментарий к его сочинениям». Когда я о Вас думаю, мне неизменно вспоминаются эти его слова. Еще раз благодарю за Вашу книгу, которая мне сейчас нужнее других.

Я очень рада, что познакомилась с Вами, — спасибо, что пришли. Пожалуйста, будьте благополучны. Крепко жму Вашу руку.

Душевно Ваша Раневская.

Я плохо училась в гимназии, писала с ошибками. И сейчас боюсь, что Вы найдете орфографические ошибки. А ведь это позор — как клоп на манишке.

Обнимаю, Ф. Р.

С.М. Михоэлсу:
Дорогой, любимый Соломон Михайлович!

Очень огорчает Ваше нездоровье. Всем сердцем хочу, чтобы Вы скорее оправились от болезни, мне знакомой.

Тяжело бывает, когда приходится беспокоить такого занятого человека, как Вы, но Ваше великодушие и человечность побуждают в подобных случаях обращаться именно к Вам.

Текст обращения, данный Я.Л. Леонтьевым, отдала Вашему секретарю, но я не уверена, что это именно тот текст, который нужен, чтобы пронять бездушного и малокультурного адресата!

Хочется, чтобы такая достойная женщина, как Елена Сергеевна, не испытывала лишнего унижения в виде отказа в получении того, что имеют вдовы писателей меньшего масштаба, чем Булгаков.

Может быть, Вы найдете нужным перередактировать текст обращения. Нужна подпись. Ваша, Маршака, Толстого, Москвина, Качалова.

Мечтаю о дне, когда смогу Вас увидеть, услышать, хотя и боюсь Вам докучать моей любовью. Обнимаю Вас и милую Анастасию Павловну.

Душевно Ваша Раневская.

А.Д. Попову:
Спасибо, всегда дорогой моему сердцу, милый Алексей Дмитриевич! Мне безгранично дорого Ваше внимание. Дорого, как подарок. Я очень чту Вас, очень боюсь и очень люблю Вас, как самого взыскательного художника наших дней, очень трудных дней театра. Трудных потому, что театр стал «торговой точкой». Я нестерпимо от этого страдаю... Обнимаю Вас крепко, еще и еще благодарю

за память. Сердечно приветствую Вашу семью. Какой изумительный артист Андрей.

А.П. Потоцкой:
Дорогая Анастасия Павловна!

Мне захотелось отдать Вам то, что я записала и что собиралась сказать в ВТО на вечере в связи с 75-летием Соломона Михайловича.

Волнение и глупая застенчивость помешали мне выступить. И сейчас мне очень жаль, что я не сказала, хотя и без меня было сказано о Соломоне Михайловиче много нужного и хорошего для тех, кому не выпало счастья видеть его и слушать его.

В театре, который теперь носит имя Маяковского, мне довелось играть роль в пьесе Файко «Капитан Костров», роль, которую, как я теперь вспоминаю, я играла без особого удовольствия, но когда мне сказали, что в театре Соломон Михайлович, я похолодела от страха, я все перезабыла, я думала только о том, что Великий Мастер, актер-мыслитель, наша совесть — Соломон Михайлович смотрит на меня.

Придя домой, я вспомнила с отчаянием, с тоской все сцены, где я особенно плохо играла.

В два часа ночи зазвонил телефон. Соломон Михайлович извинился за поздний звонок и сказал: «Вы ведь все равно не спите и, наверное, мучаетесь недовольством собой, а я мучаюсь из-за Вас. Перестаньте терзать себя, Вы совсем неплохо играли, поверьте мне, дорогая, совсем неплохо. Ложитесь спать, спите спокойно — совсем неплохо играли».

А я подумала, какое это имеет значение — провалила я роль или нет, если рядом добрый друг, человек — Михоэлс.

Я перебираю в памяти всех людей театра, с которыми сталкивала меня жизнь, — нет, никто так больше и никогда так не поступал.

Его скромная жизнь с одним непрерывно гудящим лифтом за стеной.

Он сказал мне: «Знаете, я получил письмо с угрозой меня убить». Герцен говорил, что частная жизнь сочинителя есть драгоценный комментарий к его сочинениям. Когда я думаю о Соломоне Михайловиче, мне неизменно приходит на ум это точное определение, которое можно отнести к любому художнику. Его жилище — одна комната без солнца, за стеной гудит лифт и денно и нощно.

Я спросила Соломона Михайловича, не мешает ли ему гудящий лифт. Смысл его ответа был в том, что это самое меньшее зло в жизни человека.

Я навестила его, когда он вернулся из Америки. Он был нездоров, лежал в постели, рассказывал о прочитанных документах с изложением зверств фашистских чудовищ.

Он был озабочен, печален. Я спросила о Чаплине. «Чаплина в Америке затравили», — сказал Соломон Михайлович. В одном из баров ему, Соломону Михайловичу, предложили выпить коктейль под названием «Чаплин». Коктейль оказался пеной. Даже так мстили Чаплину за его антифашистские выступления.

Я спросила Соломона Михайловича, что он привез из Америки. «Жене привез подопытных мышей для научной работы». — «А себе?» — «Себе — кепку, в которой уехал в Америку».

———

С.М. Эйзенштейну:
Дорогой Сергей Михайлович!

«Убить — убьешь, а лучше не найдешь!» Это реплика Василисы Мелентьевны Грозному в момент, когда он заносил над ней нож!..

Бессердечный мой!..

Дорогой Сергей Михайлович! Ничего не понимаю: получила телеграмму с просьбой приехать на пробу во второй половине мая, ответила согласием, дожидалась вызова — вступаем во вторую половину июня, а вызова все нет и нет!

Может быть, Вы меня отлучили от ложа, стола и пробы? Будет мне очень это горестно, т. к. я люблю Вас, Грозного и Ефросинью!

Радуюсь тому, что сценарий Ваш всех восхищает. Жду вестей.

Обнимаю Вас.

Раневская.

———

Т. Тэсс – Ф.Г. Раневской:

Фаиночка, дорогая моя, родной мой человек! Я знаю, что Вы сердитесь на меня, и Вы правы, но, как часто бывает, не зная всех обстоятельств жизни человека, нельзя судить о его поступках. Неужели Вы хоть на минуту подумали, что я не помню Вас, не тревожусь о Вас, не горжусь Вашим успехом, не радуюсь безмерно тому, что странная миссис Сэвидж стала зримой, живой, подаренная Вами людям? Что делать — все рожденное талантом забирает у человека его силы, нервы, сердце; странная миссис Сэвидж дорого стоила ее создательнице, и вот Вы в больнице. Я хотела приехать к Вам с Натэллой (Лордкипанидзе), но она сказала мне, что к Вам сейчас никого не пускают, и только у

Ниночки (Сухоцкой) постоянный пропуск и она может у Вас бывать. Я звонила Ниночке, но ее не было, а сейчас я на даче, где до ближайшего телефона пятьдесят километров. ...Такая ночь и у Вас, там, где Вы сейчас. Как-то Вы там, дорогой мой дружок? Когда я Вас увижу? Каждый день я думаю о Вас и мучаюсь, понимая, что если на нашу общую с Борей Ефимовым телеграмму Вы ответили только ему, то, значит, на меня Вы начихали. Ваше письмо, адресованное ему, я держала в своих руках, когда оно лежало на столе в редакции, и каково мне было, можете представить. А ведь еще недавно мне писали не только Вы, но и наш дорогой Кафинькин со станции Малые Х. Вот как я наказана. И как обычно бывает, чувствуя себя виноватой, я уж не знала, как выпутаться, что сделать, как улучшить свое безнадежно пошатнувшееся положение в Ваших глазах.

Крепко Вас обнимаю и целую, любимый мой друг, дорогая великая актриса.

Всегда Ваша Т. Тэсс

Т. Тэсс – Ф.Г. Раневской:

Моя дорогая, любимая актриса — «актрисуля», как писал Антон Павлович своей Книппер, — спасибо Вам за доброе письмо и за немыслимо смешное сочинение неизвестного завистника. К сожалению, в нынешнем составе малеевских жителей сейчас очень мало людей, кому я могу это прочесть; почти все сами пишут: «Куда, куда летите, гуси?» — и ничего смешного в этом не видят. Один местный поэт, к примеру, написал в свое время стихи, которые начинались так: «Я в Москве родился, родила меня мать...» Р. в пародии вполне логично добавил: «Тетке некогда было в ту пору рожать». Но в общем это звучит на том же уровне...

...Вы ничего не написали мне о своем здоровье, и не знаю, как Вы. Не знаю я и когда начнутся гастроли в Ленинграде. Погода изменилась, дело клонится к зиме, днем шел снег, ветер злой, как собака. Бегала в Старую Рузу за 6 км, чтобы купить меда, — не сплю никак; говорят, надо есть мед перед сном и будешь спать как дитя.

Съем полбанки, могу позволить себе, как художник слова, — будь что будет.

Поэт Сергей Островский на прогулке сказал:

— Написал сегодня стихи о любви. Во́ стихи! Тема закрыта — всё!

И лег спокойно спать. И во сне видел: не было до него ни Маяковского, ни Пастернака, ни Ахматовой — не было и не будет после. Тема закрыта, всё!

Легко, наверное, таким людям жить на свете.

Читаю здесь «Белую гвардию» — пронзающая душу, жестокая и нежная повесть. Какой удивительный писатель, какой умный, беспощадный и добрый человек! За таким можно на край света пойти, не то что в Сивцев Вражек. Елена Сергеевна (Булгакова) для меня сейчас видится совсем по-другому, словно легла на нее тень и свет Беатриче. Будем живы-здоровы, поведите меня к ней, когда вернусь в Москву.

...Какой закат сейчас — синий, таинственный, риховский. Буря сломала огромную ель, и она лежит, раскинувшись, как павший в бою гренадер.

Пришел Орлов, зовет гулять.

Целую Вас нежно, великая моя современница.

Ваша Т. Тэсс.

В. Ходасевич – Ф.Г. Раневской:
— Дорогая моя, любимая, хорошая, уважаемая Фаиночка Георгиевна!

Понимаю, чувствую и сочувствую Вашему горю, родная! Я сама испытала этот ужас беспомощности и бессилия, когда смерть отбирает у тебя самое дорогое и любимое. Как хотелось бы, чтобы все, кто Вас любит, помогли бы Вам пережить случившееся.

Я была несколько дней в городе (живу у Кр-их под Звенигородом), никого не видела и узнала обо всем случайно, развернув старую газету. Не посмела Вам звонить и тем более появиться у Вас, т. к. не считала, что достаточно Вам близка для этого.

Вот поэтому пишу Вам, вернувшись в Звенигород. На природе все как-то легче и проще, и лучше понимаешь вечный круговорот жизни и смерти, и спокойнее как-то на это смотришь...

Вспоминаю Павлу Леонтьевну. Вспоминаю лето в Жуковке, и Ваш «гаражный» особнячок, и Ваши заботы, и любовь к Павле Леонтьевне. Это было очень красиво!

Все понимаю, но хочу, чтобы скорее Вам стало легче и спокойнее на душе, дорогая!

Я Вас крепко обнимаю и жму Ваши прекрасные руки от всего сердца.

Валентина Ходасевич.

———

В. Ходасевич – Ф. Г. Раневской:

...Весь этот «бомонд» меня возмущает до крайности. А у Вас нет машины и дачи, и Вы слоняетесь по жизни кое-как. Это же безобразие! Караул!

Целую Вас, родная, нежно и преданно. Поразмыслилась и даже больше писать не могу от злобы!

Скоро напишу приличное письмо.
Приветы и поцелуи.

Вас любящая Валентина X.

Господь с Вами.

Содержание

Фаина Раневская

Содержание

ИЗДАТЕЛЬСТВО «ЗЕБРА Е» ПРЕДСТАВЛЯЕТ:

Серия «Горизонты знаний»

золотая коллекция научно-познавательных
и художественных книг
для детей и подростков, написанных популярными
российскими и зарубежными авторами.

Литературно-художественное издание

Фаина Георгиевна Раневская

СТАРОСТЬ — НЕВЕЖЕСТВО БОГА

Руководитель проекта *Юрий Крылов*
Заведующая редакцией *Татьяна Чурсина*
Оформление обложки: *Александр Щукин*
Компьютерная верстка: *Виктория Челядинова*
Оформление вкладки: *Виктория Челядинова*
Корректор *Наталья Семенова*

Подписано в печать 19.10.2010. Формат 84х108^1/$_{32}$.
Усл. печ. л. 10,08. Доп. тираж 7000 экз. Заказ № 11416.

Общероссийский классификатор продукции
ОК-005-93, том 2; 953000 — книги, брошюры

Санитарно-эпидемиологическое заключение
№ 77.99.60.953.Д.012280.10.09 от 20.10.2009 г.

ООО «Издательство АСТ»
141100, Россия, Московская область,
г. Щелково, ул. Заречная, д. 96
Наши электронные адреса: WWW.AST.RU E-mail: astpub@aha.ru

ООО «Издательство «Зебра Е»
121069, Москва, ул. Большая Никитская, д. 50/5,
тел.: (495) 690-19-65, 690-19-55
E-mail: zebrae@rambler.ru, WWW.zebrae.ru

По вопросам приобретения книг
обращаться в Издательскую группу АСТ:
129085, Москва, Звездный бульвар, д. 21, 7 этаж
Тел.: (495) 615-01-01, факс: 615-51-10
E-mail: astpub@aha.ru, http: www.ast.ru

ОАО «Владимирская книжная типография»
600000, г. Владимир, Октябрьский проспект, д. 7.
Качество печати соответствует качеству предоставленных диапозитивов